戦争とデザイン

WAR & DESIGN
color
symbol
words

松田行正

Matsuda Yukimasa

左右社

戦争とデザイン

戦争とデザイン　もくじ

はじめに

戦争は「死」と「破壊」の色であたり一面塗りつぶす。色自体に「死」がついている訳ではない。それは「デザイン」と同じで、「デザイン」にも、当然だが、正も負も善悪もない。利用する人間、状況の問題である。

「デザイン（design）」という語には、動詞の場合、通常の「設計する」などの意味に加えて「謀る」という意味があるのも、使い方によってはどちらにもなることを意味している。本書は、そんなデザインが持つ両義性のうち「負」に焦点を当てている。

二〇二二年二月、ロシアがウクライナに侵攻した。主権国家が戦争をはじめるなんて、今はまだ二〇世紀なのか、人間は愚かだとは思っていたが、ここまで愚かだったことはだれも想像しなかっただろう。世界の大きな関心事のひとつが気候変動にたいしてどのように対処するかであり、各国が苦慮しているさなかでの蛮行である。支配階級にしか利をもたらさない帝国主義的夢に取り憑かれた独裁者がいまだに存在するなんて、侵略が過去の遺物じゃなかったことの衝撃は大きい。

これからはグローバリズムとささやかれて久しい。ひとりの独裁者がおこした戦争に、世界は制裁を加えた。しかし制裁は諸刃の剣。その影響が自国にも及ぶ。まさに世界はグローバルだったことを再認識させられた。

ロシア、プーチン大統領がはじめた戦争（以下「プーチンの戦争」）では、ロシアの白・青・赤の三色横ストライプの国旗カラー、そして、ウクライナの青・黄の国旗カラーが双方で乱舞し、色がシンボルとして機能していた。

ロシア革命では、共産主義勢力は「赤」をシンボルカラーとし、対する旧勢力側は「白」を用い、赤と白の戦いが繰り広げられた。これ以来、共産主義者は、世界中どこでも「アカ（Red）」と呼ばれ、赤色をシンボルとして旗などのメインカラーとした。

また、約一〇〇年前、ヒトラー率いるナチ党は、当時、民族主義的集団内で流行っていたカギ十字をアレンジし、ナチ党のシンボルマークとした。政権を掌握し、侵略戦争をはじめてから、全ヨーロッパをカギ十字で埋め尽くそうとした。

このカギ十字の絶大な効果を目の当たりにしたのちの親ナチ、民族主義的右翼集団はこぞってカギ十字的なマークをつくりシンボルとするようになった。かくして、このようなシンボルマークは、復古的な体制の再興をめざす、いわば負のしるしとしてみられるようになった。ヒトラーの負の遺産である。

今回の「プーチンの戦争」では、ロシア軍は戦車に識別記号の「Ｚ」「Ｖ」を記したが、戦争が激化し、長期化するにしたがって、「Ｚ」がウクライナ侵略を正当化するシンボルとなっていった。一方、対するウクライナ側にとって「Ｚ」は、ウクライナの人と都市を破壊する悪魔のシンボルとなる。

戦争は世界を善悪に二分し、どちら側につくのかを迫る。十字やカギ十字などの抽象的なかたちがシンボルマークになることは多いが、アルファベットの一文字をもってシンボルマークにするケースは少ない。そのため「Z」を頭文字に持つ企業などは、進退を迫られる。デザインに罪はないが、一度レッテルが貼られると容易に剝がせない。

また、スローガンなどで「脅迫」するデザインもある。たとえば、第一次世界大戦のときにはじめて登場した「きみが必要だ」と指さす徴兵ポスターや、ナチスにおける「イエス（同意）」をせまる国民投票、戦争に志願しないと子どもに顔向けできないと父親を戦争に狩りだそうとするやり方など。

今回の「プーチンの戦争」でも、ウクライナ東部を実効支配するロシアが住民投票をするというが、これも「イエス」の強要だろう。加えて、「戦争」ということばを使ったら拘束されるなど、ロシア国内に徹底的な情報統制が行われ、メディアは、ロシアのプロパガンダのみで埋め尽くされた。情報を統制せざるをえない、という一点だけとっても自分たちに正当性のないことを認識している証拠のようにも思える。

また、ロシア国内の反戦派には、裏切り者という赤文字や、ただではおかない、という意味で「Z」の落書きがドアに書かれた。やはり、人間の考えることは時代が経っても変わらない。ナチスのホロコーストのときもユダヤ人のシンボル「ダビデの星」がドアやショーウインドーに落書きされた。このときの「ダビデの星」は侮蔑のためのしるしとなっていた。

一方、侵略に抗するウクライナ側では、開戦後、国民総動員令により、一八〜六〇歳までの男性の出国を禁じた。ウクライナ防衛のための戦力である。ウクライナは二〇一四年以来、戦時という認識なので、この禁止も当然かもしれない。男性の祖国防衛の意識も高い。

太平洋戦争以来、戦争がなく平和ぼけしている日本からみたら、限りないストレスを感じる命令のように思える。この命令にしたがわなかったら裏切り者・非国民と誹られるのだろうか。

「国家はいつでも私の身体を徴用し、法律の下、『愛国』『国を守る』という大義名分の下で、好きなように使うことができ、場合によっては死なせることもできる。」（李琴峰「国家に領有される個人」『朝日新聞』）

そろそろ存続も含めて、やっかいな「国家」という共同幻想についてもっと真剣に語られてもよい時期かもしれない。「国家とはなにか？」「国家は必要か？」について。「プーチンの戦争」では「ナラティブ戦」ということばが飛び交った。いわばストーリー戦争、先にストーリーをつくった方が有利になる。現在はＳＮＳなどで情報が瞬時に伝わる。ナラティブ戦は情報戦ともいえる。

しかし、ナラティブ戦は「プーチンの戦争」がはじめてではない。ヒトラー・ナチスはナラティブ戦に長けていた。「情報操作」を大々的に行い成功した。ユーゴ紛争でもクロアチアがアメリカの戦争広告代理店に頼んだことで世界を味方につけた。一方、アメリカは、ベトナム戦争でもイラク戦争でもストーリーをつくれなかった。

そのナラティブ戦に大きくかかわってくるのが「デザイン」である。本書では、この「デザイン」にかかわる、「色」、「しるし」、心理的圧迫を加えるキャッチコピー、スローガンなどの「ことば」、侵略のための大義名分となる（負の）「デザイン」などを四章に分けて展開している。

デザインに罪はない。まさにその通り。しかし、そのデザインが人びとを翻弄し、悪の道に誘うことも不幸をもたらすこともある。デザインにはそれだけのパワーがある。

さあ、それでは、戦地や災害などの不幸の現場を巡るダーク・ツーリズムに倣って、ダーク（負の）・デザイン・ツーリズムに同行してみてください。

戦争と色 1

ナチスの余暇を統制するための組織「歓喜力行団」による国民車(フォルクスワーゲン)の広告、1939。「明るい未来」を強調しているが、結局、車は国民に提供されなかった。

国旗の乱舞には戦争の気配がする

国旗が乱舞している光景は、なにか不安を誘う。かつての軍国日本もそうだったが、過去の歴史をみると、国旗の乱舞は必ず戦争をともなっていた。オリンピックでの国旗の乱舞にやや違和感を抱くのも、こうした記憶のせいかもしれない。

アメリカ人はアメリカ国旗が好きだ。国歌である「星条旗」も、「星」と「条（ストライプ）」というがごとく国旗の歌である。

アメリカ大統領選も国旗のカラーで戦われる。トランプとバイデンが争った二〇二〇年の大統領選では、トランプ陣営が「赤」、バイデン陣営が「青」とお互い国旗カラーのひとつをまとって争った。

二〇〇一年のアメリカ同時多発テロでは、アメリカ国旗がアメリカ中を覆い尽くし、不穏な雰囲気を醸していた。二〇年以上前のこととはいえ、まだ記憶に新しい。そして、国中そろって、テロを企てた連中に鉄槌を、の大合唱が起きた。

このナショナリズムの盛り上がりに乗じたブッシュ米大統領は、不確定情報をもとにアフガニスタンとイラクへの侵攻をはじめた。二〇二二年のロシアによるウクライナへの侵略行為の、非難されてしかるべき前例である。いや先に前例をつくったのは、ナチス・ドイツであり、旧日本軍のアジア侵略、北朝鮮の韓国侵略、旧ソ連のアフガ

アメリカ同時多発テロでの死者の数だけの国旗を並べた、アメリカ、カリフォルニア州ペパーダイン大学による追悼の展示場、2019。
左頁）ジョー・ローゼンタールが撮影した硫黄島の摺鉢山頂上の最後のアメリカ国旗掲揚、1945。これは、映画『硫黄島からの手紙』（クリント・イーストウッド監督、2006）で再現されている。

ニスタン侵略などだろう。いや、小規模な侵略も含めると無数にある。

　戦争が続くにしたがって、国旗の露出は減り、国旗は、戦死した兵士が横たわる棺桶を包む飾りへと移っていく。まさに血塗られた国旗となる。

　太平洋戦争の終盤、一九四五年二月の硫黄島の戦いで、摺鉢山頂上に星条旗→日の丸→星条旗→日の丸→星条旗の計五回、国旗掲揚の戦いが続いた。ジョー・ローゼンタールが撮影した最後の星条旗掲揚写真（下）は、記念切手や記念碑にもなっている。多くの兵士の血を吸い込んだ国旗である。

　二〇二二年三月一八日、ロシアがウクライナのクリミア半島を、ヒトラーのように（ザール地方編入、ラインラント進駐、オーストリア併合、ズデーテン地方割譲、チェコスロヴァキア解体、ポーランド侵略）勝手に併合した八周年記念日祝賀イベントで、プーチン大統領は、ロシア国民に向けて、改めてウクライナ侵攻を正当化した。

会場には、ロシアの国旗の白・青・赤の色が溢れ、遠目からみると、その明るさが、ロシアにとって憎むべき敵ともいえるアメリカのイベントのようにもみえた。ただし、この間にもウクライナの人びとは虐殺され続け、この果てしなく陽気なイベントとの対比に人間の闇をみる思いだった。

軍用機の国籍識別マーク

軍用機は、国籍識別のために、国旗をアレンジしたマークを、機体の胴体や翼、尾翼などに入れている。四角い国旗を円のなかにデザインし直すところに識別マークのおもしろさがある。高速飛行中でも識別できることが肝心なので、デザインはもとの国旗よりシンプルであることが重要だ。

ただし、現在は、軍用機の高速化や、ステルス化などが進み、もはや視認できなくなったので、識別マークをつけないか、申し訳程度につけているケースが多い。ステルス機は構造上、カラーコーティングができないのでグレーのマークをつけるなど、国籍識別の重要度は減っている。

変わり種のデザインとして、第一次・第二次世界大戦のときのドイツ空軍のマークが挙げられる（左頁）。それは、プロイセンの時代以来、勲功のあった軍人に与えられた鉄十字章の「十字」をアレンジしたもので、ナチスのシンボルであるカギ十字は、

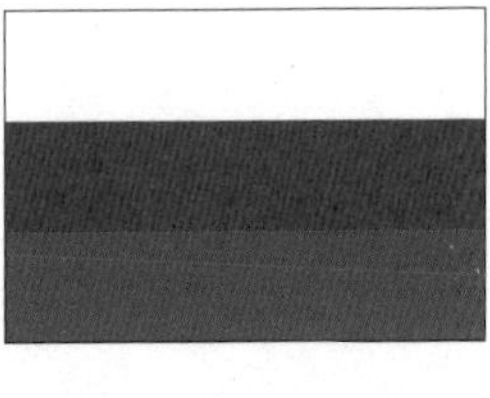

ロシアの国旗。帝政ロシアの国旗を踏襲している。

ドイツの国旗と国籍マークの変遷

ドイツ鉄十字章。

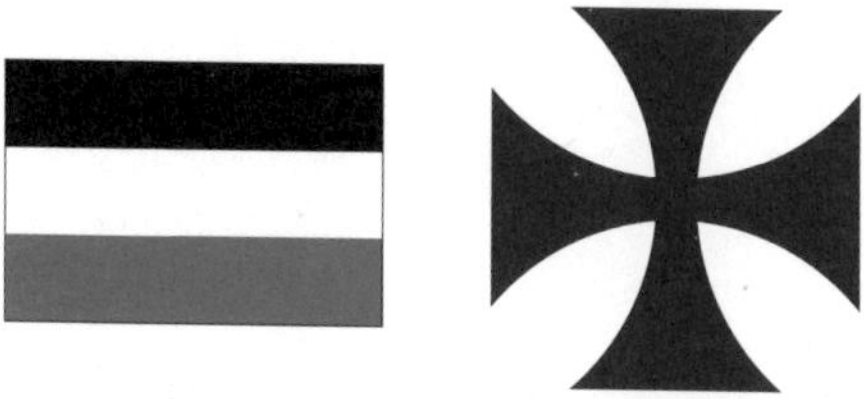

ドイツ帝国、プロイセンの国旗と第一次世界大戦のときの国籍マーク。

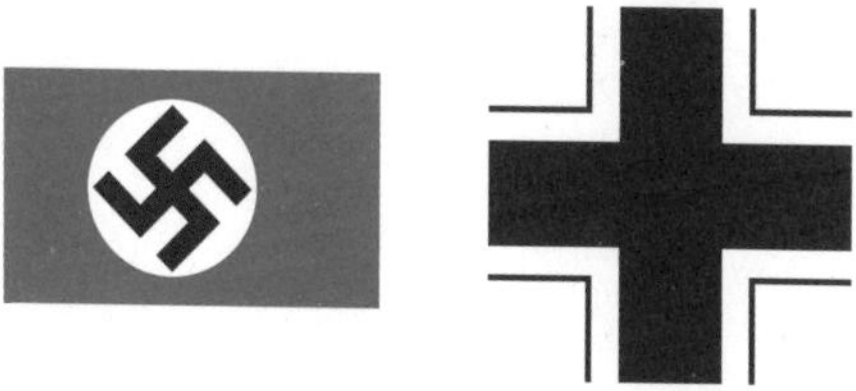

ナチス・ドイツの国旗と国籍マーク。

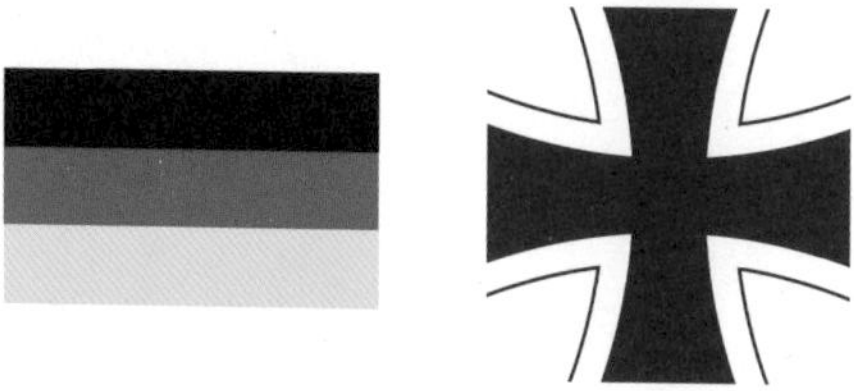

戦後の西ドイツの国旗と国籍マーク。

戦後の東ドイツの国旗と国籍マーク。
1990年に西ドイツに統合される。

下）ナチス・ドイツ戦闘機
メッサーシュミットBf109
の機体に描かれた国籍マー
ク。尾翼にカギ十字。

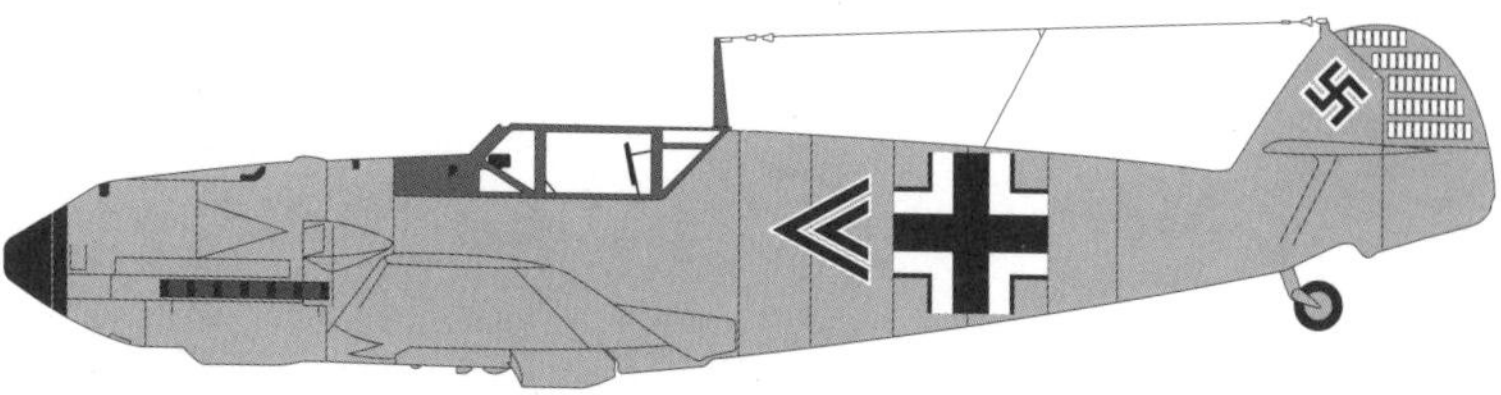

尾翼に入れられた。

ナチス体制が崩壊したあとのドイツ空軍も鉄十字章をアレンジした識別マークを踏襲しているが、ナチス時代の直線的なデザインではなく、もとの鉄十字章に近い形を採用している。

フィンランド空軍は、一九一八年から第二次世界大戦終了時まで、白い円のなかに青いカギ十字を入れていた（16頁）。ナチスのように、四五度回転はしていない。このカギ十字は第一次世界大戦終了以来使っているのでナチスとの関係はない。幸運のしるし「ハカリスティ（Hakaristi）」だ。

アメリカ国旗も意外と複雑なので、空軍の識別マークの主なものは、青い円のなかに「☆」を入れ、赤・白のストライプなどをその左右につけている（16頁）。

アメリカと冷戦相手の旧ソ連空軍は、赤い星であり、ソ連崩壊後のロシアも国旗の三色ストライプを星の縁取りに使っている（17頁）。

ちなみに、ソ連時代もロシア連邦になってからも国防省の機関紙のタイトルは『クラスナヤ・ズヴェズダ（赤い星）』。今のロシアが共産主義から、資本主義、いや資本主義的全体主義になっただけで、内実はまったく変わっていないことの例のひとつと思える。

北朝鮮の軍用機も星のアレンジ、中国空軍も赤い星のなかに漢字の「八一」を黄で入れている。この「八一」は、中国人民解放軍建軍記念日、八月一日の数字だ（17頁）。

朝鮮戦争で戦った、アメリカ、北朝鮮、中国の軍用機の国籍識別マークにはすべて「★」がつき、「★」が入り乱れる「★」の空中戦を展開していた。

韓国（大韓民国）空軍の識別マークは、アメリカの識別マークの星部分を赤青の陰陽に変えたもの。朝鮮戦争当時、空軍は創設されたばかりで、戦闘機をアメリカから提供してもらっていた。したがってマークは、アメリカのマークだったり、前述のマークをそのまま流用したりしたケースが多かった。機数はもともと少なく、「★」の空中戦に参加しているイメージはあまりない（17頁）。

ロシアのような例外はあるものの、ストライプを国旗にしている国のマークはたいてい標的の形になる。フランス、ベルギー、イタリア、スペイン、アルゼンチン、インドなど（20頁）。

ストライプの国旗でなくても標的にしている国は多い。イギリスでは、ユニオンジャック・カラーを標的にしている（20頁）。アフリカ大陸の空軍はほとんど標的形といってよいかもしれない（21頁、ガーナ共和国、ギニア共和国、ケニア共和国、マダガスカル共和国、ルワンダ共和国、ジンバブエ共和国）。

フィンランド空軍の第二次世界大戦まで（上）と現在（下）の国籍マーク。

フィンランド国旗。

左）アメリカ空軍の国籍マーク。上4つが第二次世界大戦のときに使ったもの。下2つが現在。作図：倉橋弘

アメリカ国旗。

北朝鮮空軍の国籍マーク（上）と、ミサイルにつけられた国籍マーク。

朝鮮民主主義人民共和国国旗。

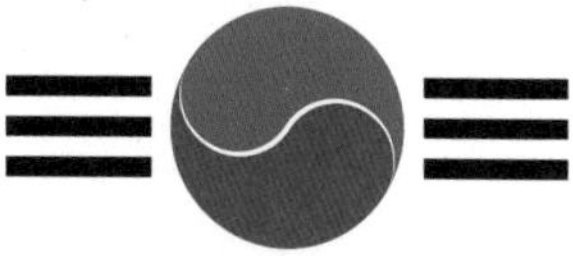

韓国空軍の国籍マーク。

韓国国旗。

右）ソ連空軍の国籍マーク2つと、現在のロシアの国籍マーク。

旧ソ連国旗。

ロシア国旗。

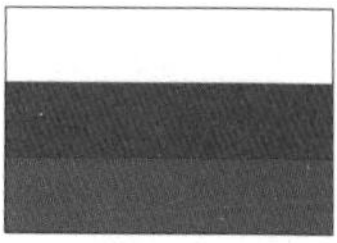

中華人民共和国国旗。

中国空軍の国籍マーク。

虚無のデザイン、ジョーンズの標的

今話題のウクライナ空軍の識別マーク（21頁）も、ウクライナ・カラーである外側が黄色でなかが青の二色の円マーク。この黄と青の標的で思いだすのはジャスパー・ジョーンズの標的作品（21頁）。

ジャスパー・ジョーンズは、一九五八年のはじめての個展で、アメリカ国旗（21頁）、標的、アルファベットや数字を並べたものを出品した。国旗と標的は一九五五年に描いたもの。

大量殺戮が行われた第二次世界大戦が終わり、米ソの冷戦もはじまり、アメリカでは、緊張が続く世相を背景に、虚無的な、まったく意味を持たない作品として表現する傾向が強まった。ポップ・アートの登場である。その第一世代がジャクソン・ポロックやウイレム・デ・クーニングとすれば、ジョーンズは第二世代。この旗や標的も鑑賞者を途方に暮れさせる虚しさがある。

標的はもともと国旗のように決まったカラーを持っていない。ジョーンズはそこに青と黄の色のついた標的を描いた。今思えばウクライナの国旗カラーだ。しかも筆のあとや傷のようなノイズも散見される。ロシアのウクライナ侵略を予見したかのような作品にみえる。

標的に色がついたことで、標的は軍用機の国籍識別マークとなる。もしジョーンズが、ナショナリズムを鼓舞することで成立する戦争を担う国旗と、軍用機の識別マークを描いたということだったら、「まったく意味を持たない」という制作方針に反して、別の意味が浮上する。しかも、その国旗や標的に傷などがあったとしたら一目瞭然、「反戦」テーマである。

ずたずたの国旗といえば、ベトナム戦争のさなかの一九六九年、ジミ・ヘンドリックスがウッドストック音楽祭の取りに出演し、アメリカ国歌「星条旗」を演奏した。ヘンドリックスは、爆撃音などのエフェクトをギターで演出し、「星条旗」をずたずたにしてみせた。ヘンドリックスはそれほど意識していたとは思えないが、「反戦」をイメージした演奏として高い評価を得た。

ジョーンズが、この国旗・標的を描いたころは、すでに戦後一〇年経っていたが、一九四九年にソ連が原爆実験に成功し、あせったアメリカの核開発が急ピッチで進んでいた。同時に、核戦争に備えた核シェルターづくりも民間でブームになっていた。ジョーンズに、無意識か意識的かはわからないが、対戦争への緊張感があったとしてもおかしくない。

イギリス空軍の国籍マーク。上2つが第二次世界大戦時のもの。作図：倉橋弘

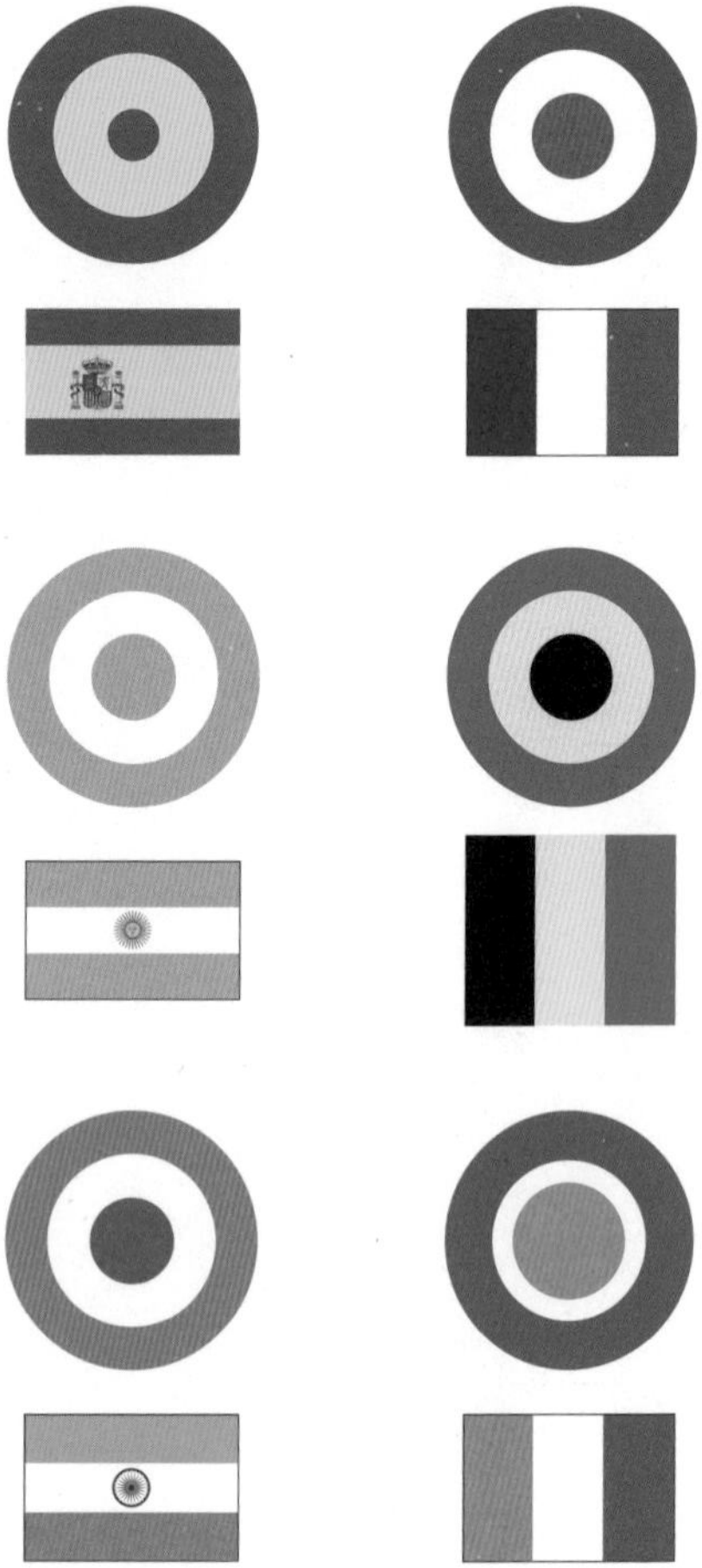

右列上から）フランス、ベルギー、イタリア空軍の国籍マーク。
中列上から）スペイン、アルゼンチン、インド空軍の国籍マーク。

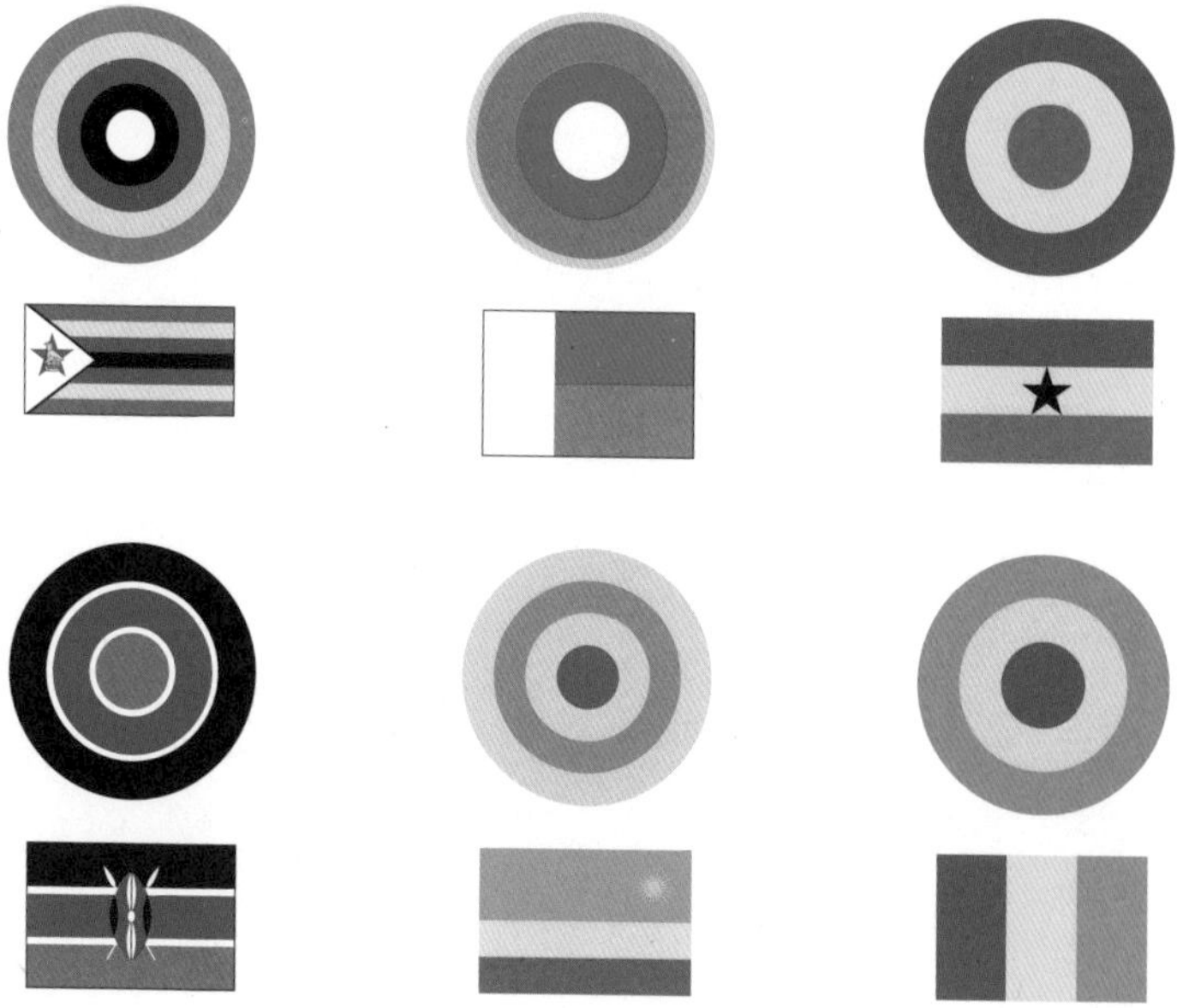

上右から）ガーナ、マダガスカル、ジンバブエ空軍の国籍マーク。
下右から）ギニア、ルワンダ、ケニア空軍の国籍マーク。

下右）〈旗〉（ジョーンズ、1954～55）。
下左）〈4つの顔のある標的〉（ジョーンズ、1954）。

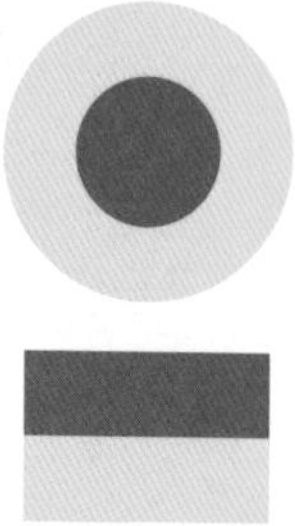

ウクライナ空軍の国籍マーク。

ラッキーストライクのデザインと戦争

三〇年代のアメリカの流線形ブームの立役者のひとり、インダストリアル・デザイナーのレイモンド・ローウィは、ブリティッシュ・アメリカン・タバコ社の「ラッキーストライク」のパッケージを二度に分けてリ・デザインしている（24頁）。「ラッキーストライク」といえば、標的風（ブルズ・アイとも呼ばれた）デザインが特徴。ローウィは、太平洋戦争前の一九四一年、もともとのデザインの緑地は残し、書体を整理して、標的の外周の地より濃い緑の内側に細い白ラインを加えた。これで標的にメリハリがついた。裏面にも同じ標的を入れて、パッケージの一体感を増した。

二度目のリ・デザインは、日本の真珠湾攻撃の翌年の一九四二年、緑地をやめて白地にし、その代わり、白ラインはとった。白地になったことで赤い円は際立った。標的の外周の濃い緑は残した。

このデザイン変更後、ラッキーストライクは、米軍の支給タバコに指定され、「ラッキーストライクのグリーンは戦場に行った（Lucky Strike Green has gone to war !）」（24頁）という有名な広告コピーを生み、米兵士に愛された。なにしろ、敵である日本をイメージする標的の中心の赤に、ラッキーストライク（最高の一撃）とくれば、米兵士の意気軒昂間違いなしである。日本を叩きのめすための最高のお守りとなった。

ただし、ヨーロッパ戦線やのちのベトナム戦争では、標的が「弾が当たる」イメージで、縁起が悪いと敬遠された。

帝国主義的臭いのするロシア国旗

ロシアの国旗は、上から「白・青・赤」のトリコロール（三色）横ストライプ。このカラーの並びは、「白」が白ロシア人（ベラルーシ人）、「青」が小ロシア人（ウクライナ人）、「赤」が大ロシア人（ベラルーシ人、ウクライナ人以外のロシア人）のスラヴ民族のカラーとされ、ロシア革命で倒された帝政ロシア（一七二一～一九一七）の国旗、つまり、赤軍に敵対した白軍の旗を、ソ連崩壊後にそのまま流用している。したがってロシアの現体制が新しい国づくりをめざしているのではなく、出発点から帝国主義的ニュアンスを秘めていたともいえそうだ。

プーチン大統領は、ソ連再興を夢みているとされているが、かれの言動からすれば、ソ連ではなく、やはり帝政ロシア再興を策しているようにみえる。もちろん封建領主である皇帝はプーチン大統領だ。とはいえ、旧ソ連も帝政ロシアも圧政という点ではまったく同じだが……。

ウクライナは、プーチン大統領の主張の一角をなす、もともとキーウ（キエフ）・ルーシ（キーウ大公国《たいこうこく》）で同じ民族だった。

「ラッキーストライクのグリーンは戦場に行った
(Lucky Strike Green has gone to war!)」の広告、1942。

右上)「ラッキーストライク」のオリジナル・デザイン。
右下)ローウィによる最初のリ・デザイン、1941。
左)ローウィの最終的なデザイン、1942。

一三世紀に、モンゴルのチンギス・カンの息子に侵略され、キーウ・ルーシが消滅。モンゴルが支配する北と東、ポーランドとリトアニアの南と西に分かれた。同時に、ロシア人、ベラルーシ人、ウクライナ人の分断も進んだ。キーウ・ルーシ消滅と入れ替わるように、モスクワを中心に、より北と東に広がる帝政ロシアの前身モスクワ大公国（帝政ロシアになるのは一七二一）が生まれている。モンゴルの衰退とともに、ポーランド王国が伸長し、侵略を重ねるロシアと衝突、結果、元キーウ・ルーシ（ウクライナ）は、ポーランド側とロシア側に二分されてしまった。

このロシア領もはじめは自治が許されていたが、一七六四年にロシアが直轄領と決め、ウクライナは帝政ロシアの一地方となり、小ロシアと呼ばれた。

しかし、一九世紀後半に民衆の間で一般的だった「ウクライナ」が浮上し、民族意識の高まりとともに、ロシアの一地方にすぎないとする「小ロシア」の呼称は侮蔑語とされるようになった。

プーチン大統領は、「小ロシア」の語をよく使っているが、ウクライナを絶滅してもよいくらいに見下している。「非ナチ化」ではなく、「非ウクライナ化」である。「プーチンの戦争」の常軌を逸したウクライナの民衆殺戮には、「小ロシア」の語がそれを裏付けているが、そこには宗教的背景もある（それについては「戦争とデザイン」参照）。

野望を秘めたトリコロール、ロシア国旗

同じスラヴ民族であるスロベニア、スロバキアの国旗も、ロシアと同じ色構成に国にまつわるサインを加えている。かつてイギリスが大英帝国として君臨していたころ植民地の旗の左上に必ずユニオンジャックをつけていた。アメリカ合衆国も独立戦争で独立を勝ち取るまで旗の一部にユニオンジャックがついていた。それからすると、ロシアの国旗をベースにしているスロベニア、スロバキアには、ロシアの属国のようなイメージがつく。今回のプーチン大統領の蛮行のあおりで、国旗を堂々と掲揚できないのではないか、と察してあまりある（28頁）。

日の丸や星条旗、ユニオンジャックは、その形の上に文字を乗せるとおかしくなってしまうデザインだが、ロシアの国旗には国旗の上に文字を乗せてプラカードにしているのを何度もみた。やはり、横ストライプ（や縦ストライプ）はシンボルというよりも、ゲオルギーのリボン（後述）のように、模様の一種として捉えられているのだろう。

また、ロシアの二〇一四年のクリミア半島併合以来、ウクライナの東部で暴れている親ロシア派の旗は、ロシア国旗の「白」を「黒」にしたもの、「黒・青・赤」の三色横ストライプ。

親ロシア派はこの旗を、「ドネツク人民共和国旗」と呼んでいる。「プーチンの戦

争」で親ロシア派が、ウクライナのドネツクを制圧したとき、市庁舎の屋上にロシアと親ロシア派の旗を二枚掲揚した。

この「黒」は肥沃なウクライナの国土をあらわしている。いかにもウクライナとロシアの合体をめざすための旗の色のようにみえる。

ちなみに、オランダ、セルビア・モンテネグロ共和国（二〇〇六年にモンテネグロが独立して消滅）、ルクセンブルクの国旗はロシアの三色の並びを変えた横ストライプ。

フランスの国旗（28頁）が、左から「青・白・赤」のトリコロール縦ストライプで色はロシアと同色。もし、フランスの国旗を「自由」の象徴のひとつとみなしたら、今回の「プーチンの戦争」を踏まえると、ロシアの国旗は「自由」を遮るような横ストライプともいえそうだ。

ウクライナ・カラーとハリー・ポッター本

一方、ウクライナの国旗は、上が「青」、下が「黄」の二色。「青」は青空、「黄」は小麦畑をあらわしているという。ウクライナは、世界でも有数の小麦産地としても知られている。

「プーチンの戦争」では、被侵略国ウクライナへの賛意・連帯の意思表示としてこの「青」と「黄」が世界中で舞った。

ウクライナの親ロシア派の
旗「ドネツク人民共和国旗」。

スロバキア国旗。

スロベニア国旗。

オランダの国旗。

セルビア・モンテネグロの
国旗。

ルクセンブルクの国旗。

右上）独立前のイギリスの植民地だったころのアメリカの旗。
中）1775年にイギリスからの独立をめざしてはじまった独立戦争の初期に掲げられた旗。植民地軍の総司令官ジョージ・ワシントンがデザインを指示。当時、アイルランドはまだイングランドに含まれていなかったので、イギリスの国旗にある赤い「×」はない。そして、敵である宗主国イギリスの旗がカントン（旗の左上）につけられているのは問題だ、と「ベッツィー・ロス旗」に変えられた。
下）ベッツィー・ロス旗の左上の星の数は13で、独立戦争をはじめたときの13州をシンボルにしている。

フランス国旗。

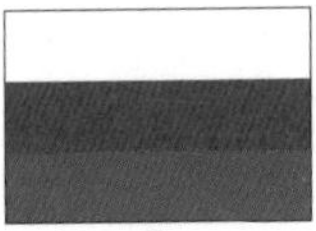

ロシア国旗。

「プーチンの戦争」の侵略初期、ロシア国内で反戦運動がわずかだが起きた。政権側は徹底的な情報統制とデモ隊の拘束で応えた。「ＮＯ ＷＡＲ」のプラカードや、英語で「ＴＷＯ ＷＯＲＤＳ」（「ＮＯ ＷＡＲ」のこと）を意味しているロシア語のことばを掲げても拘束された。考えすぎのようにも思われるが、プーチン大統領側は、それだけ「ＷＡＲ」ということばに敏感だった。こうして統制はとどまるところを知らずエスカレートし、白い紙を掲げているだけでも拘束されるようになった。

「ＷＡＲ」にプーチン大統領が敏感なのは、ロシア市民に、親戚の多いウクライナと「戦争」（ロシア側が発表した名称は、意味不明な「特別軍事作戦」）をしていることが知られると政権を揺るがす恐れがあるからだが、この執拗な取り締まりは、逆に不都合な真実を覆い隠そうとしているようにしかみえない。一方で、こんな強権支配のなかでも、地下鉄の手すりなどに緑色のリボンを結びつけるなど静かな抵抗も広がっている。

ハリー・ポッター・シリーズのなかに、ひとつのテーマを赤・青（紫）・黄・緑の四色で塗り分けた計四冊のスペシャル・エディションがある。ぼくは『ハリー・ポッター　秘密の部屋』を持っているが、どれもカバーにヴェルヴェット加工が施され、かなり優雅なお宝本だ。小口に赤版の場合は赤と黄、青版は青と黄、黄版は黄と黒、緑版は緑

『ハリー・ポッター』の青・黄本。

と白のストライプが印刷され、本の色の一体感がすばらしい。ロシアでは、そんな色が際立つハリー・ポッター本の、青版と黄版を持っていただけで拘束された人のニュースもあった。青と黄がウクライナ・カラーだからだ。

かつては本が情報の最前線にあり、政権側にとって都合の悪い書籍を焼いたり、破壊したりしてきた。ところが現在の情報統制は、インターネット、SNSに完全に移行。そんな時代にハリー・ポッター本が規制されるなんて、不謹慎だが、快哉を叫びたくなった。ただし、本の内容ではなく、本を包む色が問題となっただけだが……。

横道に逸れるが、映画『インターステラー』（クリストファー・ノーラン監督、二〇一四）では、異常気象で地球がおかしくなり、地球脱出も照準に入った近未来、本が重要な役割を担う。ただし、これも本の内容や造本ではなく、モールス信号のための記号としての本だった。

現在、本をインテリア、つまり飾りとして見直す意識が加速している。これも本の内容というよりも、なにやら知的な雰囲気を持つインテリアとしてのよさへの注目である。本が脚光を浴びることは望むところだが、いささか複雑でもある。

生死を分ける兵士の識別カラー

戦場での識別カラーは生死にかかわるため重要である。日本の戦国時代も各々赤、

黒、緑などのカラーに分かれて戦った。

英仏を中心にヨーロッパを戦乱に巻き込んだ、いわば世界初の世界大戦ともいえる七年戦争（一七五六～一七六三）では、映画『バリー・リンドン』（スタンリー・キューブリック監督、一九七五）でその一端が垣間見られるが、プロイセン軍は、白いシャツ・パンツに黒いジャケット（袖口白）・ブーツ、プロイセンに加担しているイギリス軍は、白いシャツ・ブーツ（指揮官のみ黒ブーツ）に赤いジャケット（袖口白）・パンツ、対するフランス軍は、赤いシャツに、白いジャケット（袖口赤）・パンツ・ブーツ、という具合にカラーが前面にでた戦争だった（32頁）。

アメリカの南北戦争（一八六一～一八六五）では、南軍、北軍合わせて四年間に民間人も含めて七～九〇万人が死亡した、凄惨な内戦だった。南軍はグレー、北軍は紺色のジャケットと、渋い色ながらこれもカラーによる識別が重要な戦争だった（33頁）。ちなみに、映画『グローリー』（エドワード・ズウィック監督、一九八九）では、北軍初の黒人だけの部隊の活躍を描いている。敵である南軍と戦う前に北軍内の黒人差別との戦いが感動を誘う。

第一次世界大戦となると、敵味方の識別はヘルメットの形となり（下）、第二次世界大戦以降、ヘルメットの形に加えて、軍服のデザインでも識別が容易となった。

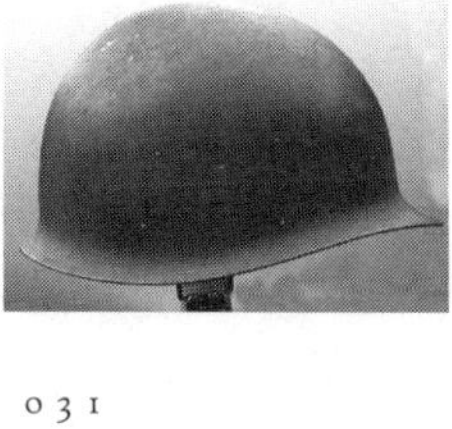

ヘルメットの形の変遷。右から、頭頂部にスパイク状の頭立がついた第一次世界大戦のときのドイツ軍ヘルメット。第二次世界大戦のときのドイツ軍ヘルメット「シュタールヘルム（鉄兜）」。第一次・第二次世界大戦でイギリス軍が主に使用した「ブロディヘルメット」。第一次世界大戦のときのフランス軍「アドリアン・ヘルメット」。第二次世界大戦以降、1985年ごろまでアメリカ軍で使用された「M1ヘルメット」。

WOWOW

WOWOW

WOWOW

〈1863年、南北戦争のチカマウガの戦い〉（クーツ&アリソン画、1890）。

ナチス・ドイツはとくに、軍服のデザインにこだわった。ヒトラーは、プロイセン王国のフリードリヒ二世の親衛隊の黒い制服の「黒」に憧れ、自らの親衛隊も黒にしたくらい。しかも全体に細身。米軍兵士のほうが機能的ではるかに動きやすそうだが、ナチス・ドイツ側は、機能性よりもデザイン性を重視していた。

戦場では将校が真っ先に狙われる。指揮官を失った兵たちは烏合の衆になりやすい。だから米軍の将校は階級章をはずし、上官ということがばれないように、自分にたいする敬礼も禁止したという。

一方、ナチス・ドイツはという

右頁）映画『バリー・リンドン』より、上から、イギリス軍、イギリス軍と同盟を結んでいるプロイセン軍、そして敵であるフランス軍。

と、将校は、戦闘のときも細身の軍服に軍帽をかぶり、将校然としていて狙撃兵の格好の的となった。

今回の「プーチンの戦争」でも、いやいや戦場に向かわされたロシア軍兵士らの士気が高まらず、将校が前線にでて、士気を鼓舞する必要があり、狙撃兵や無人のドローンの餌食となった。

現代は迷彩服などが主流で軍服のデザインで区別がつきづらく、腕章などの布片のカラーで敵味方の識別をする必要がある。侵略側ロシア軍兵士は、ヘルメット、腕、膝などの一カ所に、正規軍は「赤」、親ロシア派・義勇軍は「白」の腕章をしていた。対するウクライナ側の正規軍は「青」（あるいは緑色のテープ）、義勇軍やアゾフ連隊は「黄」の腕章だ。

服装によるイメージ戦略

軍服ついでに、ウクライナのゼレンスキー大統領とロシアのプーチン大統領の服装について。

ゼレンスキー大統領は、テレビ、ビデオ、ＳＮＳでメッセージを語るとき、ウクライナの国章と国旗を背景に、ほとんどミリタリーカラーであるカーキ色のＴシャツだ。

日本でも災害などの記者会見で都知事ら政府関係者は作業着などを羽織っている。

これはいろいろ施策を熟考し、実行している感をつくりだすイメージ戦略のひとつ。ゼレンスキー大統領も国民とともに戦っている感じをだそうとし、そして、戦争開始当初から世界にこの姿が配信され、世界の多くから共感を得て、イメージ戦略は大成功している。

対するプーチン大統領はいつもスーツ姿。これは、ともに戦おうというメッセージを連発しているゼレンスキー大統領とは逆に、ウクライナ侵略を「特別軍事作戦」などと呼ぶがごとく、あまり大げさにしたくない意図がみえみえだ。

東部のロシア系住民に悪さをしているウクライナに少しお仕置きをしているだけ、たいしたことはない、すぐ終わる、というふうにみせたいがため。結局、戦争は短期では終わらず、プーチン大統領のイメージ戦略はうまくいっていない。

プーチン大統領は、独裁者のなかでも、ことのほか民意を気にする。つまり支持率だ。以前は原油価格が高騰し、国民からの支持を札びらをばらまいて手にした。

クリミア半島併合のときも領土拡張というお題目で支持を取りつけた。今回の「プーチンの戦争」では、お仕置きをするだけだったはずが、戦争が長引き、多数の戦死者がでた上、軍需兵器の損耗も激しい。あげくのはてにウクライナ住民にたいするジェノサイドもおこしている。これらの情報がロシア国民にちゃんと伝わらないようにプーチン政権は苦労しているが、蟻の一穴、小さい穴から瓦解するかもしれない。

開戦当初高かった支持率の維持など夢物語に終わるだろう。そのときスーツ姿は威厳を保つ最後の砦になるかもしれない。

「ゲオルギーのリボン」と革命の「色」

二〇一四年、ウクライナのクリミア半島にロシアが侵略して併合したとき、親ロシア派は、黒とオレンジの二色を使ったストライプの布片を身につけていた。

この二色を使ったストライプは、ロシアの対独戦勝記念日（五月九日、ほかの連合国は五月八日。日付が違うのは、モスクワとの時間差）で行われるパレードの戦車や装甲車、ミサイルのボディにもペイントされている。

これは「ゲオルギーのリボン」（下）といい、もともとは帝政ロシア時代からの軍隊の帽章や、勲功のあった軍人に贈る勲章のリボン（アウェアネス・リボン）などに使われた色で、ソ連、ロシア時代になってもそのまま使っている。戦場に立ち上る煙（火薬という説もある）と炎をさしているとされる。

「聖ゲオルギー」は、ギリシャ正教会、東方正教会（ロシア正教会）の守護聖人のひとり。ソ連時代を除いて、聖ゲオルギーが白馬に乗ったイラストが国章などにずっと使われてきた。それが黒とオレンジのリボンにシンボライズされたのだった。

右）ゲオルギーのリボン。

左頁）ウクライナで、オレンジの旗が乱舞する「オレンジ革命」2004。

しかし、一般の人も戦勝記念日に身につけるようになったのは、二〇〇五年以来らしい。国営通信のプロパガンダ戦略として、戦勝記念日には「勝利」のシンボルとしてこの二色ストライプをつけるキャンペーンが行われ、とうとう愛国心のシンボルへと昇華した。もちろん、民族主義的イベントなので、同時にロシア国旗と旧ソ連国旗も乱舞する。

クリミア半島併合のときは、親ロシア派の黒とオレンジの二色ストライプと、赤の腕章、反ロシア派の、ウクライナカラーである、青と黄が乱舞し、今回の「プーチンの戦争」と同じく色の紛争だったといえる。

ちなみに、二〇〇四年、ウクライナ大統領選挙で親ロシア派候補側に不正があったとし、オレンジをシンボルカラーとした親欧米側候補が再選挙で当選したときの政変は、「オレンジ革命」と呼ばれ、一連の「色の革命」のひとつと数えられるようになった（下）。

中・東欧や西アジアの旧共産圏諸国で起きた民主化を求める運動は「色（花）の革命」と称された。色や花を使うことで厳しさが和らぎ、自由を連想させるからかもしれない。

たとえば、二〇〇三年にグルジアで起きた「バラ革命」は、反政府の野党支持者が赤いバラを持って抗議活動をしたことによる。色でいえば「赤の革命」だ。この政変がオレンジ革命の起爆剤となった。

二〇〇五年にはキルギスで「チューリップ革命」が起きた。チューリップはキルギスの代表的な花で色は黄。一連の色の革命に倣ったネーミングで、抗議活動のなかで色が乱舞したわけではない。チェコスロバキアの一九八九年の「ヴェルヴェット（ビロード）革命」（＊）も、無血革命だったことから軟らかくて軽いビロードになぞらえたもの。同じような発想は二〇〇五年のレバノンのレバノン杉からきた「杉の革命」、二〇一〇年のチュニジアの、チュニジアを代表する花の名による「ジャスミン革命」などがある。

共産主義の「血の赤」

ここからは、ロシア、そしてナチス、中国にとくになじみ深い赤・黒・白について詳しくみていきたい。まず、「赤」は目立つ色として古代ローマ以来、軍服の色などに使われてきた。狙撃などの、遠方から攻撃される恐れがない、敵味方入り乱れての白兵戦では、一瞬で敵味方がわかるヴィヴィッド・カラーとして「赤」は重宝された。

＊ソ連のチェコスロバキア侵攻から20年あまり、チェコスロバキアはソ連に抵抗し続けた。革命後首相になる劇作家ヴァーツラフ・ハヴェルは、革命前ニューヨークから1枚のレコードを持ち帰った。それがアンディ・ウォーホルのバナナで知られるルー・リード率いるヴェルヴェット・アンダーグラウンドのデビュー・アルバム『ヴェルヴェット・アンダーグラウンド&ニコ』(1967)。この1枚のアルバムに影響されて「自由な表現」を求める活動が活発化し、革命に結びついたとして「ヴェルヴェット革命」の「ヴェルヴェット」は「ヴェルヴェット・アンダーグラウンド」からつけられた、という説もある。

キリスト教では、最後の晩餐のときにイエスが、パンは自らの肉体であり、ぶどう酒は自らの血だといったところから、赤いぶどう酒とパンという、イエスの肉体を食し、体内に入れる、いわば食人の儀式（聖餐式）が行われるようになった。血の色としての「赤」の登場である。

そして、一七九一年、フランス革命のさなか、集まった群衆に国民軍が発砲して多くの民衆の血が流された。ここから「赤」は民衆の流された血の色として、革命継続中ずっと赤旗が掲げられた。

このフランス革命のあとナポレオンが登場し、遠征戦争などでヨーロッパは荒廃した。それを立て直すためにヨーロッパ各国は、フランス革命以前のヨーロッパに戻すべく、同盟を組み、自由主義や民族主義を弾圧した。

しかし、時代は移る。たとえばドイツでは、産業革命の波が押し寄せ、イギリス同様、資本家と労働者の対立もはじまった。資本家側は権力側と結託しているので、デモで流されるのは労働者の血ばかり。反抗の眼が育った。

一八四八年、カール・マルクスとフリードリヒ・エンゲルスは『共産党宣言』で、資本家と労働者による対立を「階級闘争」と位置づけた。

この『共産党宣言』がきっかけのひとつとなり、刊行直後からヨーロッパ各国で革命の嵐が吹き荒れはじめた。フランスでは、労働者主体の二月革命が起こり、三色旗

ボルシェヴィキのリクルート・ポスター「（赤旗のもとに）赤軍入隊の誓いをせよ」1918。

に混じって赤旗も振られた。

こうして共産主義の色といえば「赤」が一般的になっていった。その決定打は一九一七年のロシア革命。革命を主導したレーニン率いるボルシェヴィキは赤い旗を振った（右頁）。

かくして一九二二年、ボルシェヴィキが内戦に勝利し、ソ連が誕生した。国旗は当然赤旗。そこに破壊と建設を意味する槌と鎌が、そして小さくアウトラインだけの星が描かれた。一九四九年に誕生した中華人民共和国の国旗も赤だ。

対する反共産主義勢力にとって「赤」は蔑称となった。軍国時代の日本では、共産主義者や、反体制派は「アカ」と呼ばれて弾圧された。戦後のアメリカでも、あらゆる業界から共産主義者の排除が行われた。これは「レッド・パージ（赤狩り）」と呼ばれた。

ちなみに、「プーチンの戦争」への反対の意思表示として、オリンピック水泳のメダリストが、エストニアのロシア大使館の横の池の水を自然素材の染料で赤く染め、そのなかで泳いだという報道があった（二〇二二年四月）。まさに血の池であり、赤はやはり血の色だということを再認識させられた。

中国国旗。

ソ連国旗。

ロシアの「美しい赤」

ロシアの民衆には、もともと「赤」が色のなかでも最高の色、という認識があった。寒々しいロシアの風景のなかで赤がひときわ目立ち、心を奮い立たす感じがする色だったから。

モスクワの「赤の広場」も革命の色の赤ではなく、美しい広場という意味でロシア革命以前から使われていた。

ロシアで「赤い角《すみ》」といえば、ロシア正教のイコンを飾るための部屋の天井の角のことをさし、家のなかでも最高の聖なる場所と考えられていた。それまでは聖像画が飾られていたが、ソ連誕生後、レーニンの写真や肖像画が飾られるようになった。

ロシア革命以前に、画家のカジミール・マレーヴィチがこの角に自身が描いた黒い正方形だけの絵を飾ることを提唱し（一九一五）、物議をかもしたことがあった（下）。

マレーヴィチの意図としては、時代は具象画ではなく、抽象画だ、と抽象表現時代の到来を告げるつもりだったのだろう。不謹慎だという意見以上に、黒い正方形だけという表現が、抽象表現の可能性も摘み取ってしまったかのような印象があり、「絵

展覧会場の上部のコーナーのイコンが飾られる位置に、マレーヴィチの〈黒い四角形〉が飾られている。

画は死んだ」といわれた。実際、マレーヴィチもこのあとコンポジションのような作品ばかり描くようになり、この黒い正方形が自身も追い詰めた恰好となった。

ちなみに、一九八六年四月に起きたチョルノービリ（チェルノブイリ）原発事故のあと、周辺の森が放射能の影響で枯れて赤茶色になった。のちにこの森は「赤い森」と呼ばれるようになった。もちろん枯れた色というみた目としての「赤」だが、かつて美しかった森としての「赤」という皮肉も含まれている。

ロシア革命と「赤・白・緑・黒」の戦争

ロシア革命後はじまった旧勢力との内戦は、革命側がボルシェヴィキ（多数派）率いる赤軍、反革命側が白軍として戦った。白軍は、すでに触れた帝政ロシア旗を旗印にしていたので旗の上部の白から白軍（白衛軍）と呼ばれた。
いや戦ったのは赤軍対白軍だけではない。ほかに、赤軍に協力したウクライナ革命反乱軍でアナーキスト系の黒軍（黒地にドクロの入った海賊旗のような旗）、赤軍にも白軍にも加担しない第三勢力として農民やステップ地帯で生まれた自由を求めるコサックなど、農村地帯を活動拠点としていた緑軍（対角線を境に上部が緑、下部が黒の旗）もいた。まさに四色が乱れた戦争である。

黒軍は親赤軍、緑軍は基本的に反赤軍・反白軍だったが、内戦終了後、用済みとされた黒軍と緑軍は、ともに赤軍によって殲滅された。

といってもロシア農民のほとんどは、なにが起きているのか事態をちゃんと把握していなかった。ともかく識字率が圧倒的に低かった。

新しくできたボルシェヴィキの政府は、かれらに向けて革命の正当性を主張するプロパガンダの必要性を痛感した。しかも識字率が低いので、テキストに頼らないヴィジュアルで示すしかない。その主な媒体は、看板やポスター、パンフレット、書籍など、ほとんど印刷物。グラフィック・デザイナーの領域である。

そこで名乗りを挙げたのが、のちにロシア・アヴァンギャルドと称される、抽象表現をめざしていた画家・デザイナーのグループ。

内戦のさなかのことであり、勝敗の帰趨はついていない。そんなとき、革命以前にすでに地位を得ていた画家たちは、革命の方向性によっては失うものが多く、様子見するしかない。

一方、ロシア・アヴァンギャルド派は、西ヨーロッパでは少しは名の知れた画家もいたが、ロシアでは少数派。かれらの表現が従来の美術を壊すと敵視する美術関係者も多かった。もはや失うものはなにもない。かれらは、全体にまだ若く、進取の気性に富んでいた。そして、ボルシェヴィキ政権にアピールし、受け入れられた。反ボルシェヴィキとして全国でサボタージュも起きていた。ロシア・アヴァンギャルドはそ

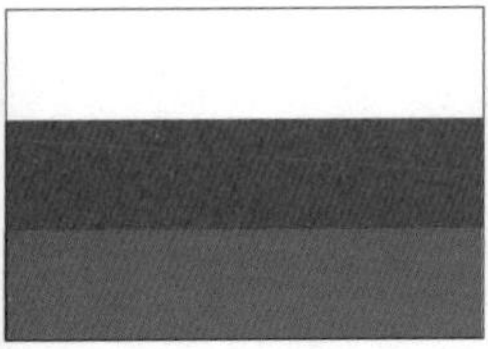

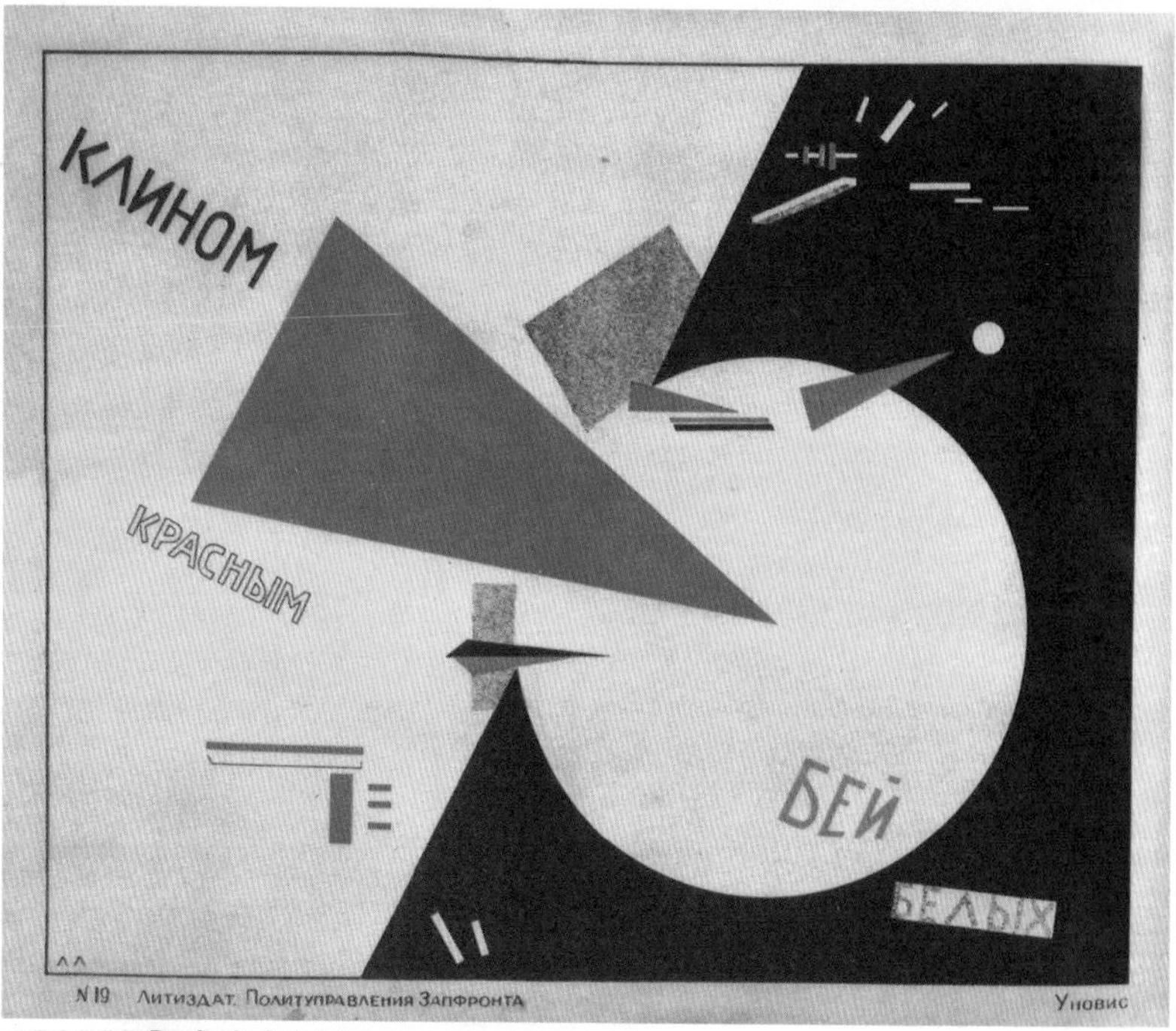

〈赤いくさびで白を撃て〉（エル・リシツキー、1920）。

左）〈赤いくさびで白を撃て〉を真似て、抽象表現を皮肉った、ナチスによる退廃芸術展ポスターのひとつ、ハンス・ヴィートス・ヴィアターラー・デザイン、1936。黒い三角がナチス・ドイツ。赤い円がユダヤ人。

右頁
右から、赤軍旗／帝政ロシア国旗と同じ白軍旗／黒軍旗。
下）緑軍旗。

れにたいする「スト破り」（ソロモン・ヴォルコフ『20世紀ロシア文化全史』）でもあり、もはやあとには引けなかった。

ロシア・アヴァンギャルドの「赤と黒」

ロシア・アヴァンギャルドを代表するグラフィック・デザイナーでアーティストのひとり、エル・リシツキーは、ちょうど内戦中の一九二〇年に赤軍を鼓舞するためのアジテーション・ポスター〈赤いくさびで白を撃て〉を制作、背後に黒を控えた白い円に赤いくさびが突き刺さっているさまを抽象的に描いた（前頁上）。

このときリシツキーの、敵と味方を色という図式的記号に置き換えた（味方を赤、敵を黒）シンプルな表現は、文字をあまり読めない農民に届く最適な方法のように感じられた。ここからロシア・アヴァンギャルド派の赤と黒への執着がはじまった。その影響は、西ヨーロッパで起きたダダイズム運動などにもひろがった。赤と黒という二色使いは、低コストで、しかも印刷技術が多少劣っていてもシャープに印刷できる色。使い勝手がよかったのだ。

このリシツキーのポスター・デザインがナチスによって、抽象表現を揶揄するために利用されたことがある。ナチスは、抽象表現を醜いとして嫌い、それらを揶揄するための「退廃芸術展」をドイツ各地で開いた。

ミュンヘンで開催された退廃芸術展のポスターでは、リシツキーの〈赤いくさびで白を撃て〉を反転し、〈黒いくさびで赤を撃て〉（一九三六）として、黒をナチス・ドイツ、赤をユダヤ人になぞらえた（45頁左下）。この展覧会の位置づけは「ボルシェヴィズムとしてのユダヤ人という怪物を知る」とした。抽象表現をする画家はユダヤ人ばかりではないが、米英首脳部の背後にユダヤ人がいる、という陰謀論を信じていた（あるいは信じさせようとしていた）ヒトラーは、なんでもユダヤ人のせいにせずにはいられなかった。

　このユダヤ人攻撃が、ナチスの党勢拡大に大きく貢献したことはたしかだが、ナチスのあまりにも強いユダヤ人へのストーカー的執着心が第二次世界大戦を敗北に導いた大きな要因のひとつといえるかもしれない。

　今回の「プーチンの戦争」でも、プーチン大統領は執拗にウクライナの地政学的土地に執着した。世界からあまり制裁されなくていわばラッキーだった、二〇一四年のクリミア半島併合でプーチン大統領が満足していれば、ロシアの信用がここまで地に堕ちることもなかっただろう。

　ちなみに、「プーチンの戦争」でロシア地下鉄に貼ってあった徴兵ポスター（92頁）の報道があったとき（二〇二二年四月一八日）、その横になんとリシツキー〈赤いくさびで白を撃て〉を真似て、白い円部分をコロナ菌にした、「コロナ・ワクチンを打とう」

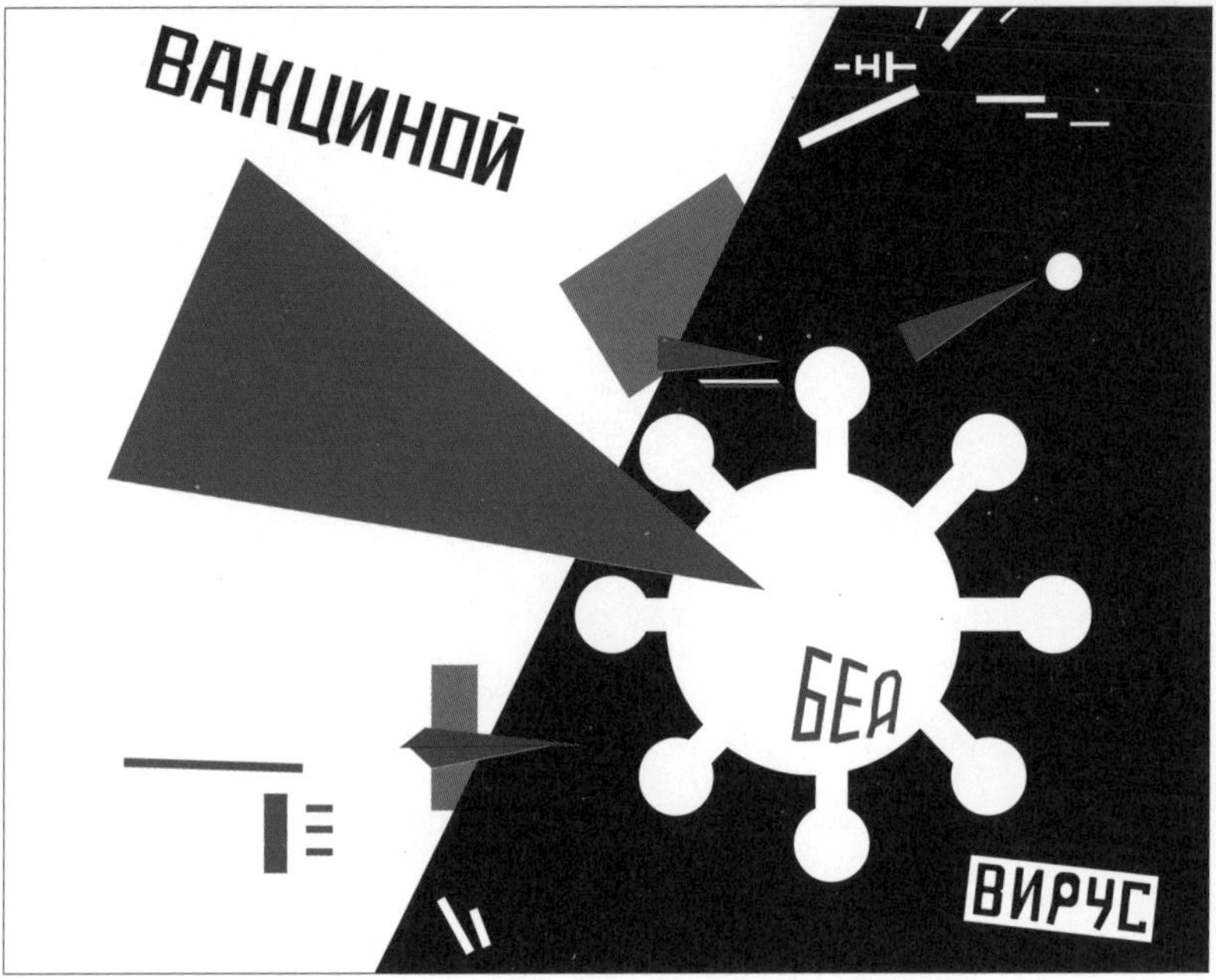

というポスターが貼ってあってつい見入ってしまった。リシツキーのデザインが一〇〇年経っても、パロディとして使われ、ロシアではかなりポピュラーな作品なのだということに感動を覚えた（上）。

ナチスの「血の赤」

ナチスは「血と土」をスローガンとしている。「血」は民族の血であり、「土」は祖国。「赤」はまさに「血」の赤でもあったのだ。共産主義の場合は労働者の「血」だったが、「血」という点で共産主義の赤と親和性は高い。とくに赤いバナーの

上）たまたま同じ地下鉄車内に貼ってあった「コロナ・ワクチンを打とう」ポスター、2022。〈赤いくさびで白を撃て〉をパロって、白い円がコロナウイルスになっている。左上の文字が「ワクチン」。作図：金丸美波。

ヴィジュアルとしての訴求力の高さは、独裁政権・全体主義政権を描くのに欠かせない素材となっている。

この「赤」は、ドイツ第二帝国（一八七一〜一九一八）の国旗、上から「黒・白・赤」の三色横ストライプの赤色を援用している。だから、黒いカギ十字の入った白い円と赤地というナチス旗は、この第二帝国国旗の色を入れ替えたデザインとなった。

とくに、白い円とカギ十字しかついていない、全面赤色の巨大なバナーをビルに何本も吊り下げるプロパガンダは、存在感の主張としてかつてない最適な方法だった。

ヒトラーは、アルベルト・シュペーアが提唱していた、廃墟になっても美しいという「廃墟価値理論」を気に入っていた。しかし、ナチス帝国時代に建設された建築物はほとんど破壊され残っていない。残っているものといえば、ナチスがもたらしたヴィジュアル・イメージ、カギ十字、腕章、種々のルーン文字をベースとしたシンボル、親衛隊のヴィジュアルなど。それらが今でも映画などで再現され、ほぼ永遠の価値を得た観がある。

ナチスの正式名称は「国民社会主義ドイツ労働者党」。「社会主義」や「労働者」が含まれているが、これは、共産主義がいうところの労働者（プロレタリアート）とは違い、国民（民族）のために働く（労働する）党という意味。「社会主義」は全体主義という意を内包している。したがって、共産主義には反対しているが、「民族（国家）に奉仕する

ナチス・ドイツ国旗。

ドイツ第二帝国国旗。

個人」という意味では共産主義的でもある。

ヒトラーは、「赤」は、社会思想の運動、白は国家主義の思想、黒はアーリア民族の勝利のための闘争、と定義づけているが、「赤」はアーリア民族、「白」はアーリア民族の純潔、「黒」はアーリア民族以外の絶滅をあらわしている、という説もある。

こうした国旗の色の意味づけはたいてい陳腐なものだが、「黒」を絶滅の色とするのはユニークだが恐ろしい。

こうしたナチスによる「赤」の多用は、古典建築の多い当時のヨーロッパの街並みにひときわ映え、存在表明としては最適のカラーだった。

そういえば、二〇〇六年に、ユニクロがニューヨーク・ソーホーに全米一号店をオープンするまで行われた、佐藤可士和さんディレクションのオープン・キャンペーンが、あたかも宇宙人が襲来したかのような、「赤の襲来」だったらしい。なにしろ赤地（青地もあった）に、欧米人にとっては奇妙なかたちのカタカナで白抜き文字のロ

ヒトラー50歳の誕生日を祝うたいまつ行列。ビルには無数のバナーが垂れ下がっている。

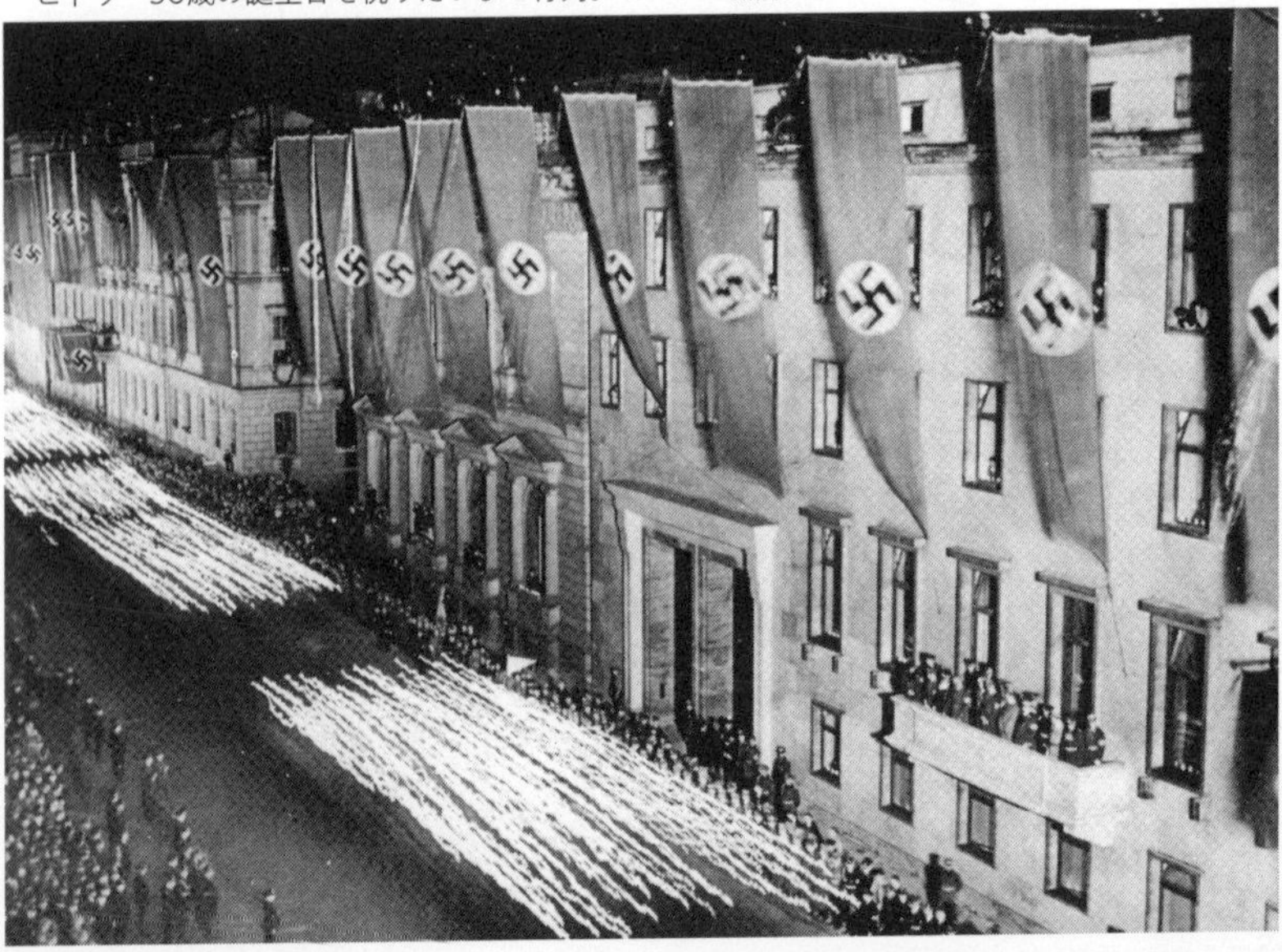

ゴが、タクシーの屋根にも飾られるなど、ニューヨークのいたるところで存在を主張した。まさにシティジャックである。

ナチスの手法の援用というのはいささか大げさだが、ドイツの人びとがナチスに抱いた興奮と恐れに近いものがニューヨーク市民にあったかもしれない。

ナチスの（重要なファッション・アイテム）赤い腕章

ナチスのハーケンクロイツが染め抜かれた赤い腕章は、赤いバナーに次ぐ最大のヴィジュアル・イメージだ。といっても、ヒトラーの発明ではなく、ヒトラーが大嫌いな共産党員がデモなどでよくつけていた赤い腕章や、ムッソリーニのファシスト党の黒い腕章を真似たもの。

ムッソリーニは、右手を伸ばして挙げる敬礼の仕方、足を曲げないでまっすぐ歩く行進の仕方（ロシア軍も記念式典では同じような行進をしている）など、ヒトラーに多くのヴィジュアル・イメージを剽窃されているが、腕章をつける

ヒトラーがまだ政権を獲る前の1931年、増え続ける党員の前を閲兵するヒトラー。
ナチ党旗とナチ式敬礼、腕章が目につく。

ことも真似され、しかもそれらは、残念ながらムッソリーニよりもヒトラーのヴィジュアル・イメージとして語られることが多く、ムッソリーニは、ヒトラーと交流しているときも内心忸怩《じくじ》たる思いがあったことだろう。ちなみに、ムッソリーニの黒い腕章は、共産党員の赤い腕章に対抗したもの。のちに腕章の代わりに袖に黒の三角布をつけたが、これもヒトラー・ユーゲントに流用されている。

ナチス党初期の制服は、資金がなかったせいか、陸軍の放出品の茶色のシャツを着ていた。ジャケットもシャツに合わせて茶系。ここから、ナチス運動を、ナチス側は「褐色革命」と誇り、反ナチス側は「褐色のペスト」と揶揄した。

赤い腕章は茶色でも目立ったが、その効力を最大に発揮したのは、親衛隊の黒い制服が登場（一九三二）してから。その後、冷徹な親衛隊員の活動から、黒地に赤い腕章というセットは、一般民衆にとって恐怖のシンボルのようになった。

ともかく、赤い腕章は、ヒトラーがナチス党の党首になった一九二一年にすぐ採用され、一四年間ナチスのシンボルとして君臨した。一九三九年にナチス・ドイツがポーランドに侵略する前に、戦場での腕章着用は禁止された。すでに触れたように、戦場では目立ちすぎて狙撃されやすくなるから。ただし、戦場外での着用は従来通り行われた。やはり赤い腕章は、ナチスの重要なファッション・アイテムとして欠かせない。

右）ヒトラー・ユーゲントとドイツ少女団（BDM）の制服姿。左腕に三角布が縫いつけられている。
左）ナチス親衛隊の黒服と赤い腕章。1943年版『ナチ党組織図録』より。

左腕に三角布を縫いつけたムッソリーニ、1935。

ナチスの制服の「黒」

ナチスは、前述したように、「赤」を効果的に使ったが、「黒」も恐怖の色として活用した。恐れられた親衛隊の制服の色である。

「黒」を制服の色に使ったのはナチスがはじめてではない。古くは十字軍に参加した一部の騎士団が「黒」い制服を着用している。

十字軍がはじまったころ、聖職者の間で黒い法衣が一般化しはじめた。「黒」には、禁欲的で贖罪的で、学究の徒（当時の知識人の代表は聖職者）のイメージもあったから。

そして、十字軍という聖戦に参加する騎士団にも聖職者の末裔という意識があり、法衣の延長線上の制服だった。対するイスラム兵は、砂漠で目立つヴィヴィッドな色やストライプ、白を着用していることが多く、黒い塊りとしての軍団には恐怖を撒き散らすイメージがあった。

のちのイスラム国（IS）も全身黒で黒覆面という忍者のような出で立ちに、旗も黒（213頁）。皮肉なことに、かつての敵と同じ色だ。聖戦を唱えて脅威を与える色として「黒」には宗教を超えた普遍性があることになる。そして、草木の少ない茶系の乾燥地帯で「黒」も昼間は意外と目立つことを証明した。いわずもがなだが、忍者の黒装束は、黒子と同じく闇夜に目立たないためのものだったが……。

また、ファシズムの祖、ムッソリーニの行動部隊も黒のシャツを着て、黒シャツ隊として恐れられた。

ナチス親衛隊は、この黒シャツ隊と、一八世紀のプロイセンの王、フリードリヒ二世の親衛隊の黒い制服を真似ている。フリードリヒ二世の親衛隊の黒は喪に服すための黒だったが、ナチス親衛隊の黒は、軍帽にドクロマークを採用した理由と同じで、死ぬまで戦う、意思表示としての黒だった。しかし、さまざまな残虐行為を繰り返したことで、死をもたらす「黒」とみなされるようになってしまった。

ちなみに、ナチスは強制収容所の被収容者を逆三角形の布地を色分けして管理した。政治囚は赤、ジプシー（ロマ）は茶、エホバの証人は紫、無国籍者は青、一般囚人は緑、同性愛者はピンク。そのなかで、ユダヤ人には黄色の三角形を六芒星になるように加えさせた。使っている色は七色。六芒星はユダヤ人のシンボルである「ダビデの星」（128頁）の形であり、黄色とほかの色の組み合わせで六芒星にするというデザイン的巧妙さがあった。この七色を支配するのが黒の親衛隊、という構図になる（次頁）。

しかし、黒は汚れが目立つ、とくに戦闘ではまずいと、一九三八年、親衛隊が政治組織から軍事組織になったとき、黒からペール・グレー系になり、ドイツ国内は黒、戦地はグレーに決定。強制収容所の親衛隊幹部は基本的に黒。ただし、捕虜収容所は国防軍の管轄なのでもともとのフィールド・グレー系。被収容者の色分けもなかった。

PRINCIPAUX SIGNES DISTINCTIFS DES DÉPORTÉS

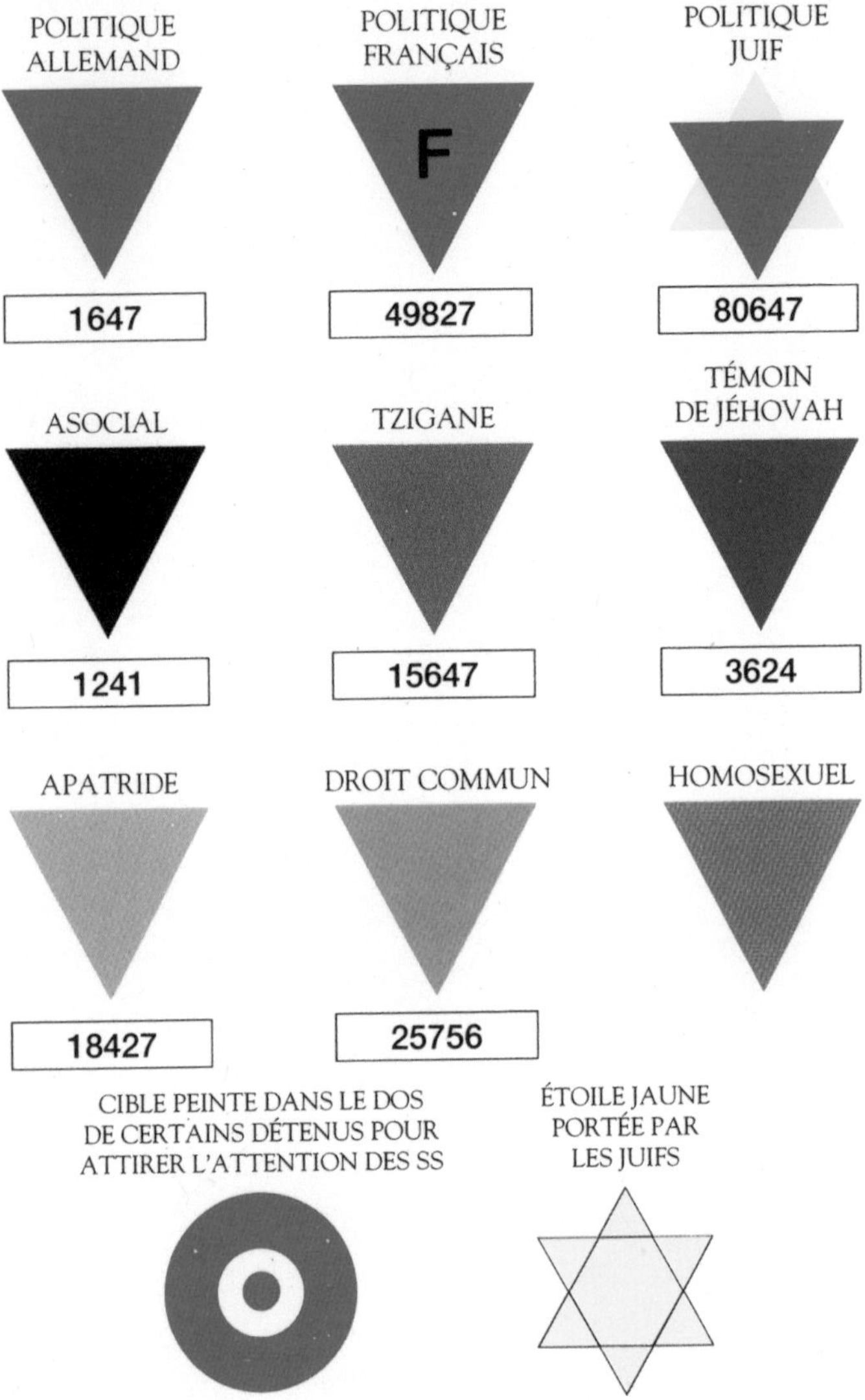

Chaque détenu portait, cousus sur le côté gauche de la veste ou de la robe, un triangle de couleur et une bande de tissu où figurait le matricule. Une lettre imprimée sur le triangle indiquait, sauf pour les Allemands, la nationalité du déporté : F (Français); B (Belge); S (Espagnol); R (Russe); P (Polonais)...

中国の魔除けの「赤」

中国では、共産主義革命以前から赤を特別な色と考えていた。激しい色である赤を魔除けに使っていたから。悪鬼を退散させる色である。

そこに一九四九年、共産主義の色としての赤が登場し、赤い国旗に五つの黄色い星が配置された。大きい星は中国共産党で、その周りの小さい星は労働者、農民、知識階級、愛国的資本家とされている。実際は、大きい星は毛沢東、残りは共産革命に貢献したほかの中国建国に功労のあった幹部たち、というイメージかもしれない。しかし、共産主義のなんたることかもわかっていない民衆にとって、魔除けの「赤」への親和性は高かった。

共産革命成立と同時に、ソ連の青少年組織「ピオネール」（一〇～一五歳）に倣って、中国でも七～一四歳までの少年少女を対象とした中国少年先鋒隊（少先隊、一九五三年に全国組織となる）を結成、将来の共産主義的青少年育成をはじめた。ナチスの少年団・少女団、ヒトラー・ユーゲントと同じような青少年組織である。

中国少年先鋒隊員は、赤いスカーフ（「紅領巾《ホンリンジン》」）を目印とし（60頁）、それがエリートの証だったが、そのカッコよさから、結局、すべての小学生が着用するようになり、区別は解消された（北朝鮮の小学生も中国式に赤いスカーフがスタンダード）。

右頁）ナチ強制・絶滅収容所の抑留者の左胸につけさせた識別記号。三角印の下についている数字は収容者番号。上段左から、政治囚の赤。国籍を入れる場合（この例はフランス）、（黄色の三角を加えた）ユダヤ人の政治囚。

中段左から、反社会的人間、ジプシー（ロマ）、エホバの証人。

下段左から、無国籍者、犯罪者、同性愛者。

標的は親衛隊員に目をつけられた抑留者。右下はすべてのユダヤ人につけた「ダビデの星」。

左）中国国旗。

文化大革命の「紅と黒」

一九六六年、中国文化大革命（～一九七六）が毛沢東によって発動された。赤い腕章、赤い毛沢東語録、赤いバッジが中国全土を席巻した。

中国の文化大革命は、端的にいえば、毛沢東による奪権闘争・リベンジ闘争である。「文化大革命」という名がついているが、これは中国、あるいは大陸的といってもよいかもしれないが、共産国特有の表現で、まったく躍進どころか停滞を招いた政策を「大躍進政策」というのと同じで、「文化破壊運動」である。

ソ連でもロシア革命後、穀物の徴収など、極端な共産主義化を進めたため飢饉が発生し、不満を抱く農民たちが各地で蜂起した。やっと内戦でボルシェヴィキが勝利しはじめたのに国内はどん底だった。

そこでレーニンは、革命四年後の一九二一年、「新経済政策（ネップ）」と称して、市場経済を導入した。つまり否定して革命まで起こしたはずの資本主義政策である。それを「新経済」という意味不明の名に置き換えた。このネップは成功し、五年くらいで革命以前の水準に戻ったが、スターリンが権力を握ると、この政策を批判し、共産主義へと回帰する。そしてスターリンは、五カ年計画でソ連を農業国から工業国へと転身させた。「戦争とデザイン」で触れるが、強制収容所（ラーゲリ）の被収容者の奴隷労働によるところが大きい。その一方で、ソ連を大粛清で恐怖が支配する国に変えてしまった。

ちなみに、日本の首相も「新しい資本主義」という具体像の不明なことばを使っている（二〇二二）。「新」にたいする明確な説明のない限り、疑ってかかった方がよさそうだ。

ともかく、一九五八年から六二年まで行われた中国の「大躍進政策」で、その「大躍進」の名とは裏腹に毛沢東は失策を繰り返し、大量の餓死者をだした。その責任をとらされて、地位はそのままだが、権力の中枢から弾かれた。

しかし、権力からはずされたとはいえ、実情を知らない民衆のなかでは毛沢東人気はまだ高かった。それを利用して、自分を権力から追いやった連中への復讐を策した。それが文化大革命。

文化大革命では、ナチスのユダヤ人差別のようなことも公然と行われた。優遇される人と迫害される人という階級差別である。まず優遇されるのは紅五類（労働者、貧農・下層中農、革命幹部、革命軍人、革命烈士）。紅衛兵（後述）はこの紅五類の子どもたちだ。迫害されるのは、黒五類（地主、富農、反革命分子、破壊分子、右派、そしてその家族）。圧倒的に強い立場の「赤」と、理屈が通用しないし、抗弁も許されない「黒」との一方的な戦い、いや迫害である。しかも紅衛兵は、常に敵を必要としていたので、「黒七類」と被迫

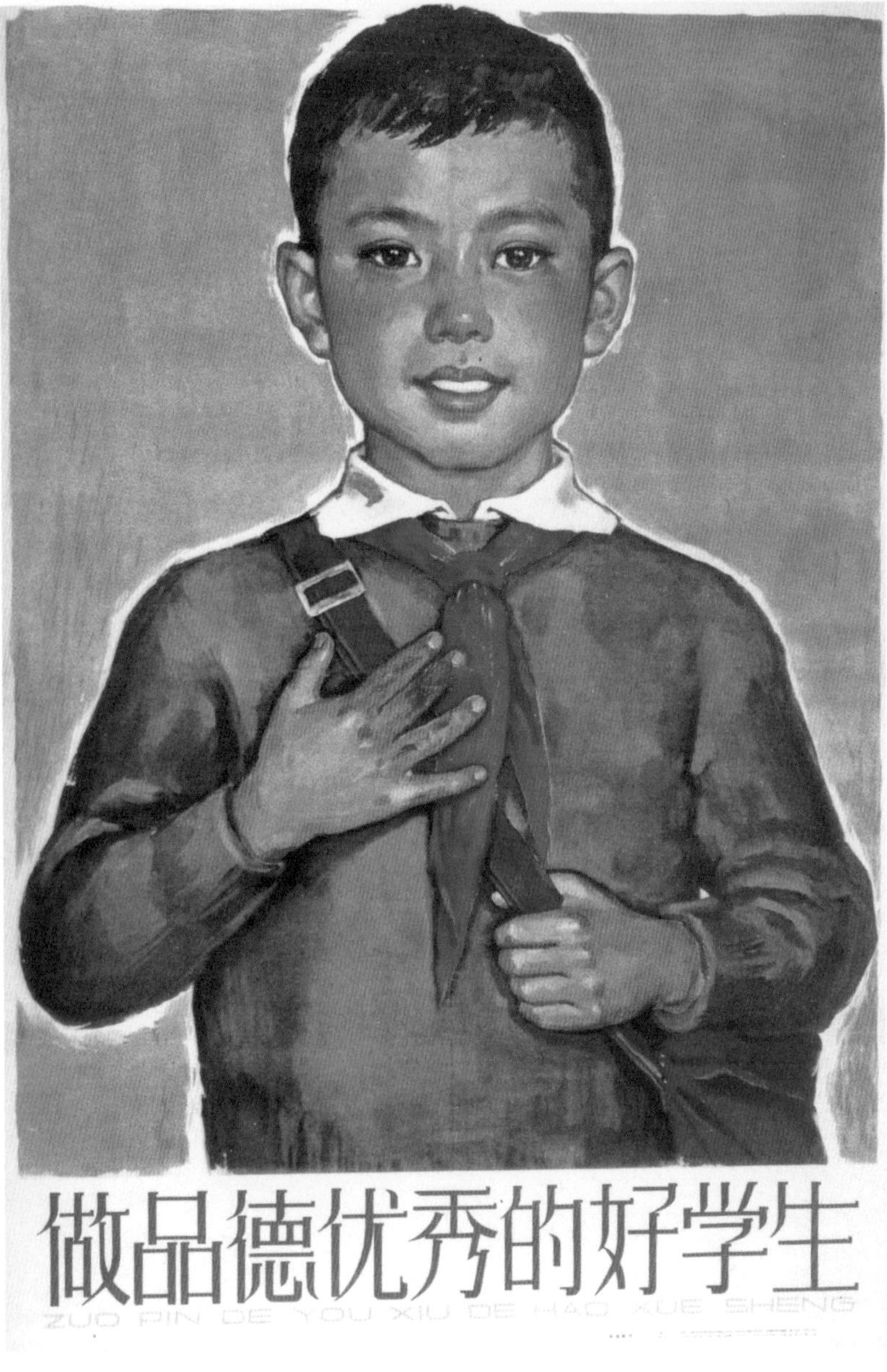

「徳を積んだ学生」ポスター。かつては、赤いスカーフはよい共産主義者の証だった。

害者の範囲が広げられていき、収拾がつかなくなっていった。

紅衛兵の恐怖のしるし、赤い腕章

文化大革命の初期は、毛沢東に焚きつけられた中学生・高校生・大学生で組織された紅衛兵が主導した。

学生たちは、「停課闇革命（授業をやめて革命に加わる）」をスローガンに、毛沢東の意に沿って、政権の実権派の追い落としを図った。パリの五月革命よりも二年早い、世界

上）天安門広場を埋め尽くした、毛沢東語録を掲げる紅衛兵、1967。
下）「村へ、国境へ、きみたちを必要としているはるかなる大地へ行こう」下放《かほう》を促すポスター、1970。下放された青少年は文化大革命が終わるまで故郷に帰れなかった。

の学生運動ブームの先駆けである。

　学生たちは、毛沢東のことを「紅司令」、つまり赤い司令官と呼び、司令官を守るという意味で自分たちのことを「紅衛兵」と名付けた。

　一方、学校の授業は中止された。指定された本以外の読書も禁止され、こっそり指定外の本を読んでいるのが紅衛兵にみつかるときつい処罰が待っていた。

　紅衛兵の赤色にたいするこだわりは強かった。たとえば「赤」は革命の色とばかりに交通信号の、赤を進め、青を止まれ、などと主張し、交差点に陣取って交通整理をはじめる始末。事故も多発し、混乱は避けられなかった。事態に憂慮した周恩来は、交通信号は世界標準が望ましい、赤は注意を喚起する色だとなだめ、混乱を沈静化させた。とはいえ、革命初期で、毛沢東お墨付きの紅衛兵に周恩来が気を使っていたことがいい回しにあらわれている。

　そして、紅衛兵による暴力沙汰でたとえ人が殺されても警察は黙認した。背後の毛沢東の影が恐かったから。

　しかし、毛沢東は、権力奪取が成功した暁には、用済みで暴れてばかりいる邪魔な紅衛兵たちを厄介払いするために、中高生は学校に、大学生は地方の農村に追いやって肉体労働をさせた。これを下放《かほう》という。

　毛沢東の「革命（ゴッコ）は学校でやれ」の鶴の一声で小中高生の学校の授業は再開

された。しかし、再開といっても多くの科目は廃止、下放に役立つような実利的な教育だけがなされた。

加えて、高校を卒業すると、軍幹部の子どもなど限られたものしか大学にいけず、ほかの卒業生は農村に下放された。学生たちは、それまで無学だとバカにしていた農民たちに教えを乞い、慣れない肉体労働に従事せざるをえなくなった（61頁下）。

結局、この文革一〇年の教育の不在はその後の中国社会に大きな禍根を残した。

ともかく、紅衛兵のシンボル、腕に巻く赤い腕章は、毛沢東の数々の書のなかから「紅」「衛」「兵」の文字を探しだして組み合わせ、赤地に黄文字で染め抜いた、紅衛兵が自発的につくったもの。

この腕章は、文化大革命がはじまった年の夏、紅衛兵が毛沢東に接見して贈り、毛沢東が腕に着用してみせたことで、腕章をつけることが紅衛兵というエリートであることのお墨付きを与えた（下）。

このとき、毛沢東に腕章を渡した紅衛兵運動初期のリーダーの女性は、この接見の前に、毛沢東主義に反対していた母校の副校長の撲殺の指揮をとっていたという。もちろん、罪に問われるどころか当時は賞賛されていたが、文革の嵐が収まったころ彼女はアメリカに移住（逃亡？）し、のちに副校長の死にたいして謝罪している。

1966年、天安門広場で、紅衛兵の代表から受け取った腕章をその場でつけて歓呼に応える毛沢東。このことで紅衛兵の腕章に箔がついた。

こうして箔がついた赤い腕章は、紅衛兵の暴力がエスカレートするとともに恐怖の印となり、ナチスの赤い腕章と同じ道を歩んだ。

真っ赤な『毛沢東語録』

学生たちをまとめるのに効果的だったのが赤い『毛沢東語録』。『毛沢東語録』と毛沢東の肖像画のバッジ、腕章は紅衛兵必須の所持三点セットだ。

毛沢東の文章は、古典籍からの引用やら寓話的たとえが多く、かなりわかりづらい。のちに毛沢東の後継者と目されるようになる林《りん》彪《ぴょう》がそれをわかりやすく『毛沢東語録』にまとめ、ポケットサイズ

上）中国共産党50周年記念を祝う「偉大で栄光、正義の中国共産党万歳」ポスター、1971。毛沢東の右側にいるのが『毛沢東語録』を考案した林彪。この2カ月後に林彪は失脚、墜死する。

「全世界の無産者よ、共に立ち上がろう！」ポスター、1970前後。
『毛沢東語録』、毛沢東バッジは全世界で発売された。

から四六判くらいのものまでつくり、ばらまき、功を奏した。林彪は毛沢東の恩人といってよいくらい貢献したが、野心もなかったはずなのに毛沢東に疑われ、逃亡せざるをえなくなり、飛行機で墜死した。独裁者とは猜疑心の強いのが定番だが、毛沢東はスターリンと同じく猜疑心のかたまりだった。

『毛沢東語録』は、文革一〇年で約六五億冊も印刷された。当時の中国の人口が約八億人とするとひとり当たり八冊にもなる。『毛沢東語録』は毎日持ち歩き、雨風関係なく掲げたりしたので損耗が激しかったから複数持つのは当たり前だった。ただし、毛沢東の写真が掲載されている書籍・新聞などをみだりに扱うと処罰されたから、傷んだ『毛沢東語録』の処分は大変だっただろう。

また、黒五類と決めつけられ、迫害されそうになった家庭では、入り口のドアに毛沢東に賛成している意思表示として『毛沢東語録』を貼りつけた。紅衛兵に迫害されないための魔除けである。紅衛兵たちが家に乗り込んできたときのために家具なども赤く塗った。これは高価な骨董品を壊されたり、略奪されたりしないための骨董品隠しでもあり、災難から身を守るための魔除けの赤である。赤という災厄から逃れるために赤を利用する、という複雑な展開となった。

また、毛沢東の肖像画のバッジを考案したのも（可哀想な）林彪だ。紅衛兵所持三点セットの内ふたつが林彪の発案であり、毛沢東は、林彪に足を向けて寝られないはずだが、前述したように林彪を死に追いやった。やはり独裁者の必須条件は、人を信用しない。毛沢東はそれを見事に体現している。

このバッジも紅衛兵からいいがかりをつけられないための魔除けとしての役割もあった。ただし、前述した被迫害者である黒五類はバッジ着用禁止。ナチスも、ユダヤ人の子どもにナチス少年団・少女団などのバッジをつけさせなかったので、バッジをつけていない子はユダヤ人とすぐわかるしくみになっていたが、文化大革命の中国でも似たようなことが行われた。

こうしたバッジは、文化大革命がはじまって二年数カ月で八〇億個も生産された。五〇年代から七〇年代の三〇年間で世界で製造された、毛沢東バッジ以外のバッジは二五億個といわれているので、狂乱ともいえるプロパガンダ政策である（矢吹晋『毛沢東と周恩来』）。バッジの素材はアルミニウムとプラスティック。ほとんどタダでくばられたので、経済的損失も大きかったに違いない。

光の色は「青」からはじまった

この章の最後は「白」でまとめてみよう。まず、光の色から。

光の色を具体的な色に置き換えたとき、第一次世界大戦・感染症パンデミック後では、「白」に収斂していくが、もっと古い時代での光の色は「青」だった。

フランス（当時はフランク王国）の王シャルルマーニュ（のちにヨーロッパを統一してカール大帝と名乗る）は、統治のために人びとのキリスト教への信心を利用するべく、キリスト教の古典の復興を目論見、古典の写本をはじめさせた。これは、イタリア・ルネサンスと対比されてカロリング・ルネサンス（シャルルマーニュがフランク王国カロリング朝の王だったから）と呼ばれている。

この聖典復興の過程で「光」の色は何色か論争が起きる。光が色としたらその色は聖性を帯びるはず。光は神だから。

金色はもともと光の色とされていたが、それ以外の色でなにかあるか、という答えのでそうもない論争が何世紀も続き、天（光）の色、つまり「空」の色、「青」が「光」の色として浮上した。

そして、教会は天国を擬似体験する場として、聖堂内を光で満たそうとしてステンドグラスを導入する（左頁）。

ステンドグラスは、信者の視線を天（聖堂の上部）に向けるべく、基本的に縦長となった。窓から外をみる習慣のなかった中世、ステンドグラスから漏れでる光と色に信者たちは至福を感じた。その光を体現する色として青が多用されることとなった。

しかし、二〇世紀初頭の第一次世界大戦やインフルエンザのパンデミックを体験したヨーロッパでは、光の色として「白」に着目する。これについては後述する。

ちなみに、日本での「青」は、青春、青果、青田、青年、青二才、青臭い、というように若い、新鮮という意味で用いられている。光とまではいわないが、可能性を秘めているというイメージがあり、光と多少リンクしている感じがする。

暗黒の戦争と感染症

一九一四〜一九一八年の、ヨーロッパを戦乱に巻き込んだ第一次世界大戦は、未曾有の大量殺戮をもたらし、ヨーロッパを虚無に落とした。死者は九〇〇万人以上、負傷者は二〇〇〇万人以上。毒ガス・戦車・飛行機などの新兵器が登場したことで被害がふくらんだ。

毒ガスで失明させられたり、顔を焼かれ、崩れたりした兵士の傷を隠すための人工装具のマスクも流行った。このマスクをつくりはじめたのは医者ではなくフランスに移住したアメリカ人女性の彫刻家。かなり精巧なもので、多くの傷ついた兵士の心を癒した（次頁）。

また、イギリス・フランスなどの連合国側に加わっていたロシア帝国は、長引く戦争による国民の厭戦気分の高まりに乗じた二月・十月と二回の革命で、ロマノフ王朝は崩壊、参戦継続が不可能となり、連合国から離脱。

カール大帝の治下、ドイツのロルシュ修道院に据えられたステンドグラス、9〜10世紀。だいぶ欠けているがキリストの頭部が描かれていた、という。このあとステンドグラスは縦に伸びていく。

終戦まで八カ月後と迫った一九一八年三月、インフルエンザがアメリカで流行（左頁上）。第一次世界大戦に参戦するためにやってきたアメリカ兵によってヨーロッパにもインフルエンザがもたらされ、パンデミックが起きた。とくに不衛生な塹壕戦が流行に拍車をかけた。

日本は、ドイツが中国から得た権益をそのまま手に入れたいために連合国に参加したが、ヨーロッパには軍隊を派遣しなかった。しかし、大戦景気というように軍需物資の輸出などでヨーロッパ諸国との交流が盛んとなり、インフルエンザが国内にもたらされ、日本でもパンデミックが起きた（左頁下）。

かくしてインフルエンザは世界的流行となった。パンデミックは、第一次世界大戦の倍以上の死者をだすという大惨事となった。第一次世界大戦終結を早めたのもこのインフルエンザの流行ともいわれている。インフルエンザで大勢死に、戦線に補充する

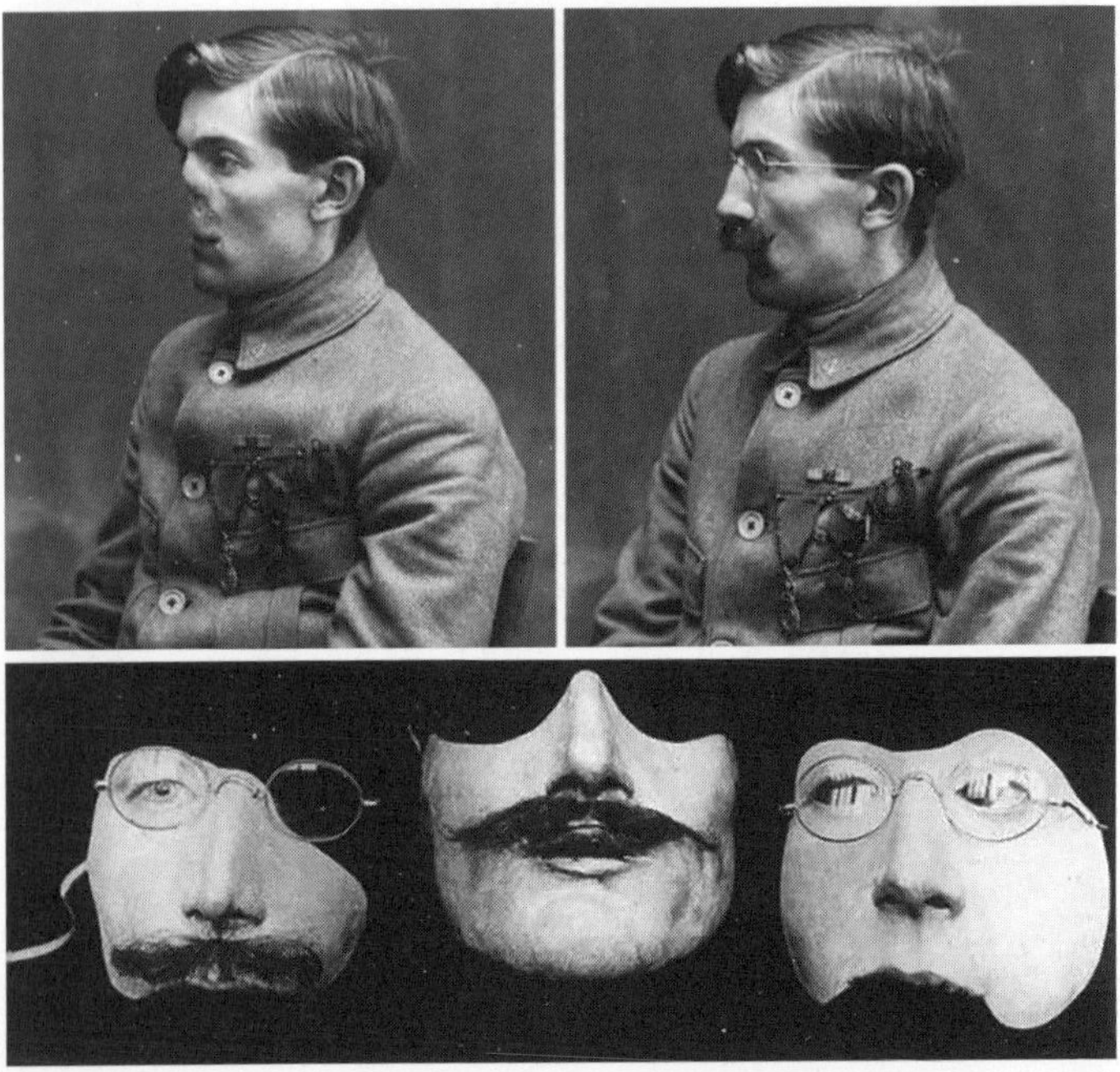

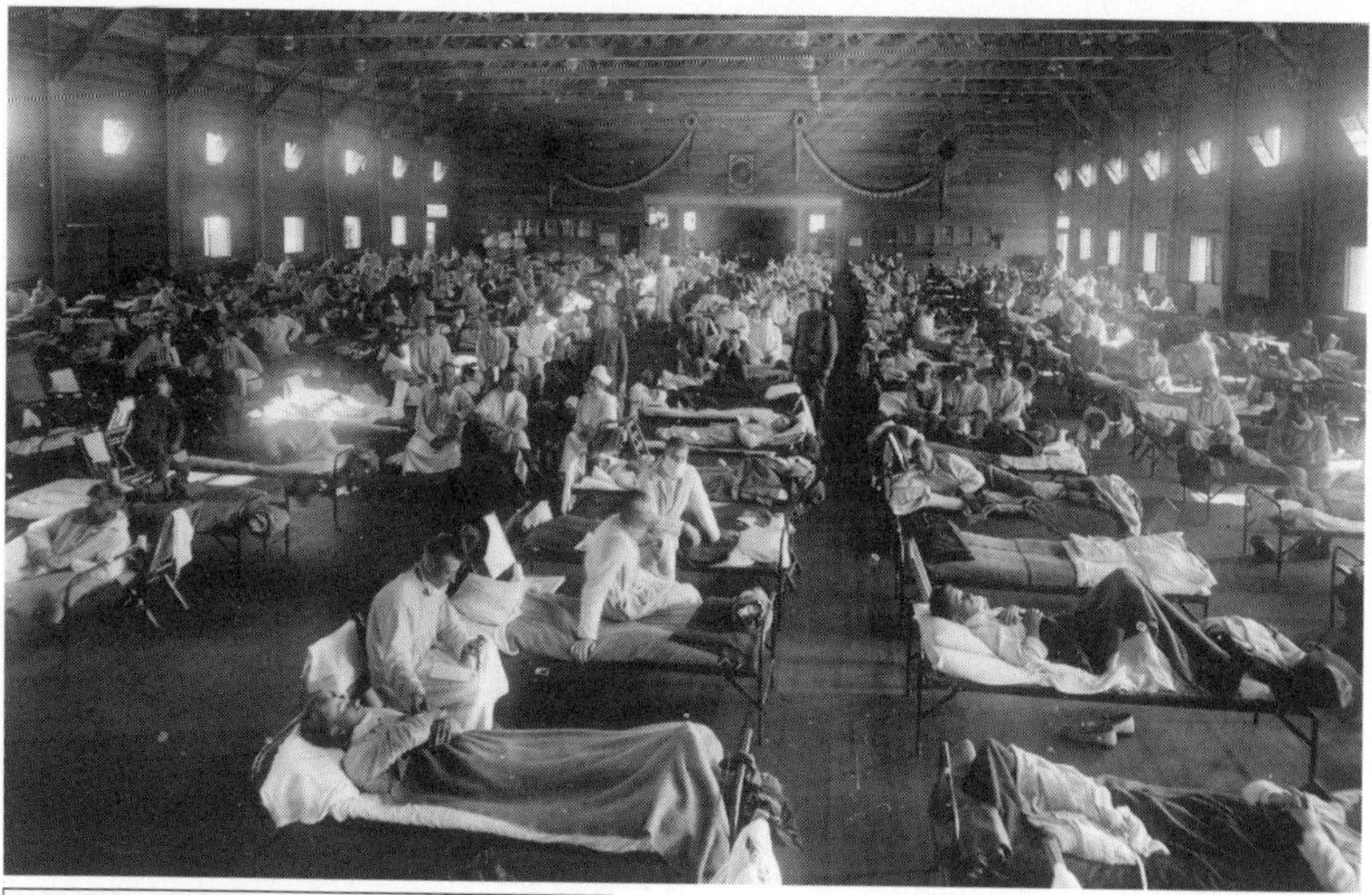

ための徴兵がままならなくなったのだ。

第一次世界大戦、パンデミックとダブルで被害を受けたヨーロッパをニヒリズムが覆う。死はいつでもやってくる、である。

諦めから生まれた新即物主義、懐疑心から生まれたダダイズム、現実逃避的なシュールレアリスム、あるいはローリング・トゥエンティーズといわれたように、一九二〇年代の退廃的で狂躁的なキャバ

上）スペインかぜに罹った兵士が収容されているアメリカ陸軍ファンストン基地、1918～19。
下）内務省の予防宣伝ポスター「手當が早ければ直ぐ治る」1920。

右頁
上）マスク装着例（右）。アメリカ人彫刻家アンナ・コールマン・ラッドは、「ポートレイト・マスクスタジオ」をオープンし、顔を損傷した兵士のための人工装具づくりをはじめ、生涯をマスクづくりに捧げた。
下）アンナがつくったマスク例。かなり精巧でほとんど見分けがつかない。

レー文化など、戦争と感染症は世界の終わりを実感させた。

ドイツが第一次世界大戦で負けたのは、ドイツ国内で起きたユダヤ人を中心とした共産主義者による革命のせいだ、とする「背後からの一突き」論を軸に、反ユダヤ主義で勢いを加速させたヒトラー率いるナチスの登場も一九二一年だ。

「清潔」の色「白」

戦争と感染症の惨禍に人びとは救いの「光」を求めはじめた。暗さを払拭してくれる暁光である。その代わりになったのが、擬似「光」ともいえる「白」だった。

一九世紀半ば、イギリスのヴィクトリア女王は結婚式で白いウエディング・ドレス（それまで色はさまざまだった）を着た。船員の青と白のセーラー服が登場し、白をベースとした二色ストライプに清潔感があり、新鮮だとして子どもの下着・靴下、水着などに流行するなど、さまざまな状況が重なり、「白」が注目されるようになった。「素」としての「白」にほかの色を組み合わせることで、生成りではない、色としての「白」を強調することとなった。

加えて、同時期、フローレンス・ナイチンゲールが、クリミア戦争にナース団として参加し、病院を清潔に保つことで戦病死を減らすことができると実証した。このあ

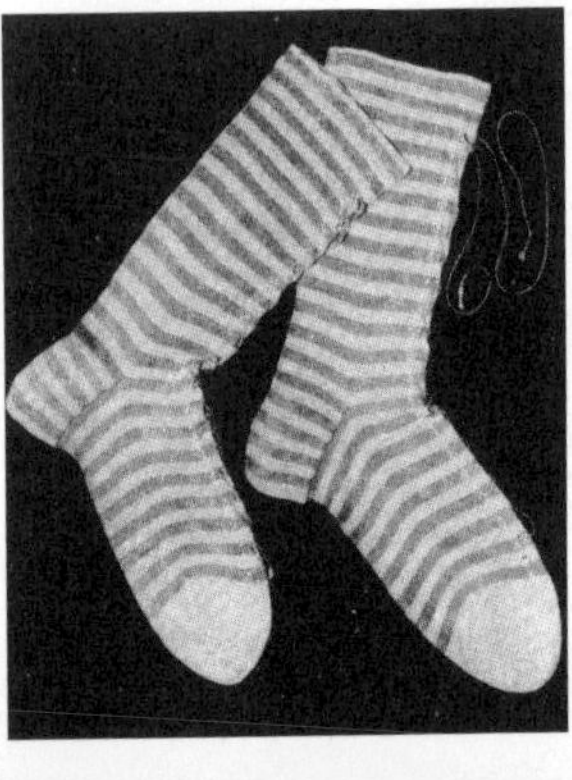

右）絹の編み靴下、イギリス、1860ごろ。

左頁
上）子どもに流行したセーラー服、19世紀末。真ん中に写っているのが若き日のシャルル・ド・ゴール。
下）ナイチンゲールが働いていたスクタリ病院病棟、ウィリアム・シンプソン画、1856。

たりからも、「白＝清潔」という意識が生まれた。いや、このナイチンゲールの「白」は色がついていないという意味での「白」、戦争で流される赤い血の対極としてのガーゼ、シーツの「白」、「素＝生成り」としての「白」である。

ちなみに、油絵を描くときキャンバスに直に描かず、必ず下地色として白を塗る。色としての「白」ではなくほかの色を引き立たせるための「白」で、脇役としての「白」だ。

一九世紀末は、アール・ヌーヴォーのような装飾の時代である。二〇世紀に入ると、それに対抗して、もう装飾はいらないという無装飾派が登場する。建築家のアドルフ・ロースもその無装飾派で、装飾のない、いわば白いビルを建てようとして多くの非

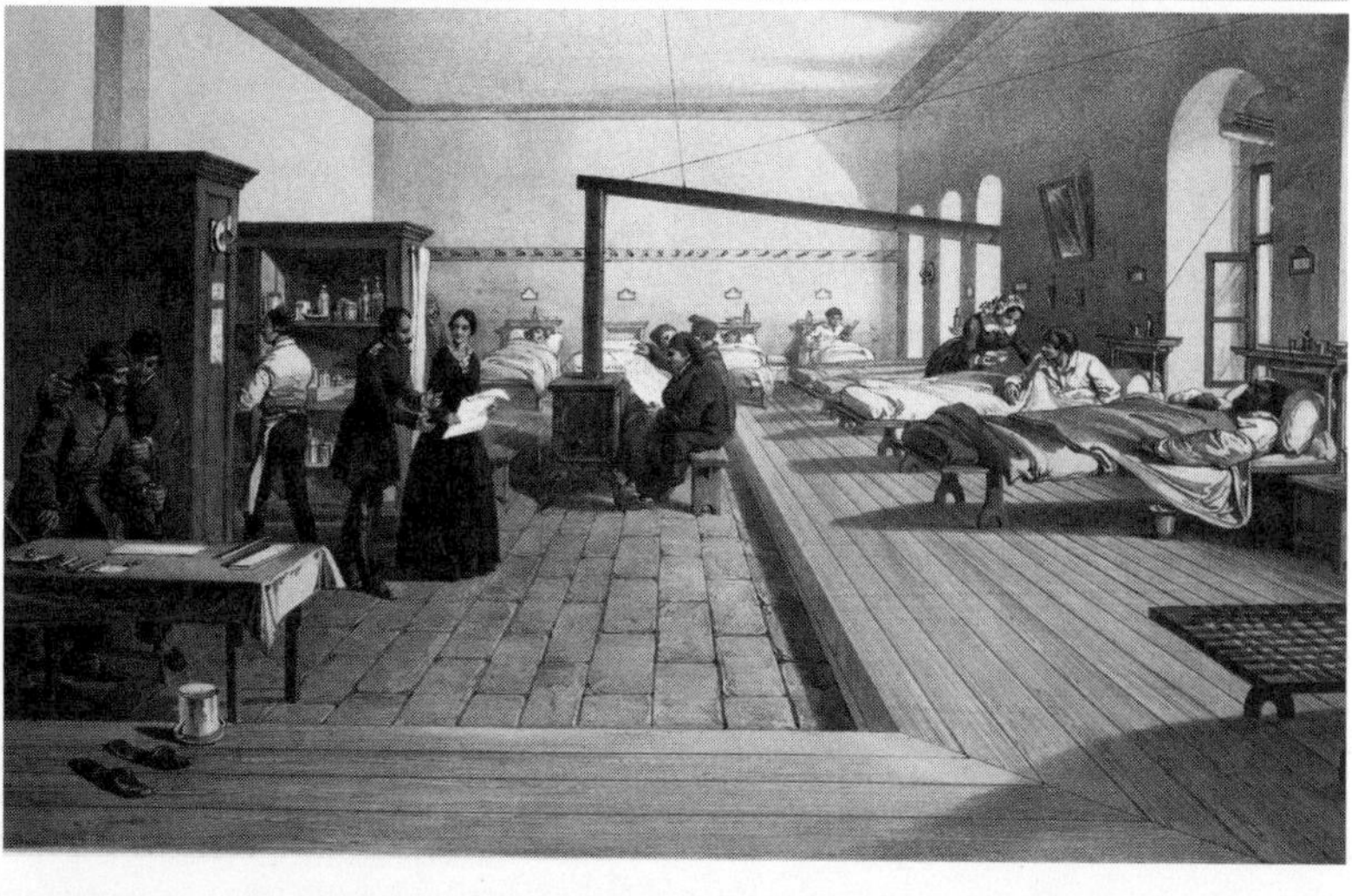

難を浴びた。これも色としての「白」ではなく、装飾がないという意味での「素」の「白」である。

光の色は「白」になった

第一次世界大戦後の一九一九年、ドイツのワイマールにバウハウスが開校した。建築・美術・デザイン・写真・工芸などを教える総合的アート・スクールである。建築・デザイン・工芸がカリキュラムに入っているように、ダダのようなアート一辺倒ではなく、社会・生活に密着した表現を追求するという意味で、まさしく戦後復興の意味合いの強い学校だった。

バウハウスの初代校長はワルター・グロピウスだが、第二の校長と呼ばれるほど影響力のあったのがヨハネス・イッテン。

イッテンは色彩学を担当していたが、なかでも「白」には執着していた。イッテンはもともとゾロアスター教系のマスダスナンというアメリカに本拠のある宗教団体に入信していた。

ゾロアスター教というのは、ユダヤ教やキリスト教よりもはるか昔に誕生した宗教で、「光と闇」という二項対立（キリスト教でいえば「神と悪魔」）をはじめて唱えたことでも知られている。つまりイッテンが信奉するのは光の神である。

イッテンは、その光と「白」を結びつけた。この発想の延長線上に、光を発する白人は人類のなかでも至高の存在であるとする白人至上主義があった。

イッテンがバウハウスのマイスターになってはじめての版画集のなかの一枚に〈白人の家〉（一九二〇か二一）というのがある。白いキューブをふたつ重ねた家のデッサンで、もちろん白人至上主義を意識しての建築案である（左）。

しかし、この「白」で構成された建物は、ほかのマイスターたちに「白」という色を再認識させた。「白」は、なにもないのではなく、明るく、光を導き、豊穣な色を内包する色だと。

バウハウスは国立なので、ときどき学校の成果を発表しなければならない。そのはじめての展示会は、厚みのある正方形をふたつ重ねた、すべて「白」のモデルルーム「ハウス・アム・ホルン（ホルン街の家）」（一九二三）のなかで行われた（次頁）。展示物は、バウハウスでつくった調度品など。しかもその調度品はすべて「白」に統一。色としての「白」のデビューである。

そしてこの「白」は、もはやイッテンの白人至上主義としての「白」ではなく、光の色としての「白」へと変貌していた。「白」が色を獲得した瞬間である。

立方体をふたつ重ねた、〈白人の家〉（イッテン、1920か21）。

ル・コルビュジエは、パリで行われたアール・デコ博覧会のフランス館のために白さが際立つ直方体のような建物エスプリ・ヌーヴォー・パヴィリオンを設計した。これが雑誌に紹介されるとき、建物の白さと形が際立つように、写真をエアブラシで白く修正した、という（本田晃子『都市を上映せよ』）。

マルセル・デュシャンは、男性小便器作品〈泉〉（一九一七）を雑誌に発表するとき、アルフレッド・スティーグリッツが撮影した写真に、輪郭を強調するように、縁に白い線を描き加えたという。まさに「反射光」としての「白」である（左）。

ピンクとロックンロール

第一次世界大戦・感染症パンデミック後のヨーロッパと似た状況が生じたと思えるのが第二次世界大戦後のアメリカ。第二次世界大戦が終わって平和がくると思いきや冷戦がはじまり、アメリカ、ロシアの二大強国が核開発競争に血道をあげる。アメリカでは、核シェルター・ブームが起こり、人びとは、核戦争で世界が終わるハルマゲドン恐怖に囚われた。

そして、「フィフティーズ（五〇年代）」といわれる、ピンクを主流とするパステルカラーや、手書きのようなスクリプト書体を使った

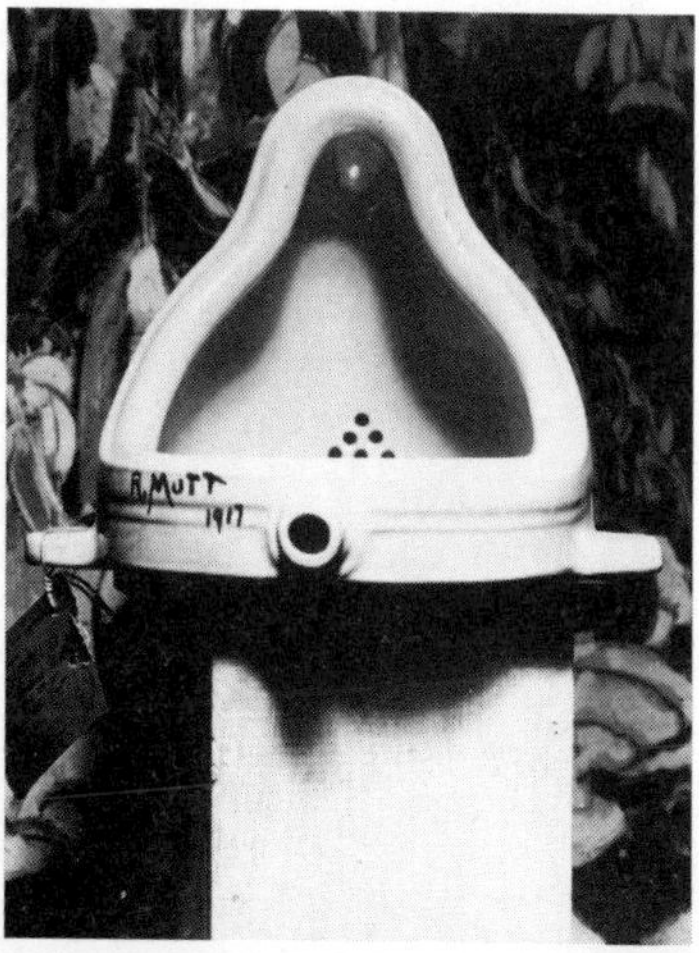

右頁、上）バウハウスの、正方形をふたつ重ねたような、はじめての展示場「ハウス・アム・ホルン」1923。
下）ハウス・アム・ホルンのキッチンの調度類。すべて「白」に統一されている。
左）スティーグリッツが撮影した〈泉〉（デュシャン、1917）。

表現が広告などで一大ブームとなった(右)。恐怖と隣り合わせで膠着した状態が続くなかで、仮でもよいから少しでも明るく過ごしたい、という願望を色と動きのあるフォントで表現したかのようだった。五〇年代半ばのロックンロールの登場もその意味で激しい享楽を求めた結果といえる。

「抗議」ということばを秘める「白」

「プーチンの戦争」で、ロシア国内は厳しい情報統制が敷かれた。すでに触れたように「NO WAR」にあたるロシア語は禁句であり、「特別軍事作戦」といわなければならない。街頭での抗議行動でも「NO WAR」はもちろん、ロシア語の「NO

アメリカの50年代に現れた広告のピンク。
上からドライヤー、ガードル、タイプライター。

WAR」を意味する「TWO WORDS」という表記も、白紙を掲げただけでも拘束される。

かつてビザンツ帝国のレオン三世が聖像禁止令をだしたことがあった（七二六）。当時、ヨーロッパに比べて文化的先進国であり、偶像崇拝禁止を実行しているイスラム軍と対峙したとき、「まだ偶像を崇拝しているなんて、なんて田舎者なんだ」と揶揄されたかどうかはわからないが、レオン三世は、イスラム風に偶像を禁止した。

そして帝国内には聖像破壊運動（イコノクラスム）が吹き荒れた。聖像や関連する書物は破壊・焼かれた。聖画は焼かれずに聖像部分が白く塗られた。この場合は隠す、無意味にするための「白」である。

ロシア革命で、宗教を否定するボルシェヴィキは、革命直後、教会やシナゴーグ、モスクなどの宗教施設を閉鎖し、そこを「無神論博物館」（ロバート・ベヴァン『なぜ人類は戦争で文化破壊を繰り返すのか』）という無意味な建物にし、建物を白く塗ったという。これも隠す、無意味にするための「白」だ。

「プーチンの戦争」が勃発して二週間以上経った三月一四日、ロシアの国営テレビ第一チャンネルのスタッフがニュースの生放送中に乱入し、英語で「NO WAR」とロシア語で「戦争をやめろ。プロパガンダを信じるな。かれらはあなたに嘘をついている」と書いた紙を掲げた。「かれら」とはプーチン大統領とその取り巻きであり、テレビでプロパガンダを流すように命じた幹部たちのことである。

　このスタッフはすぐさま保安要員に拘束された。罰金を払って釈放されたが、この後ドイツ・メディアの特派員というオファーを受けたらしい。それでもロシア国内にいる限りいろいろな災厄が待ち受けているかもしれない。

　モスクワにある独立系小新聞社の『ノーバヤ・ガゼータ』紙は、反骨のリベラル紙として定評があった。編集長は、二〇二一年、ノーベル平和賞を受賞したドミトリー・ムラトフさん。NHKスペシャル（「ウクライナとロシア　決別の深層」二〇二二年四月三日）がこの新聞社について報告している。

　それによると、この第一チャンネル・スタッフの勇気ある行動を紙面では、「WAR」の部分をぼかし、その下に「ゾンビメーカー（プロパガンダを流すテレビ局のこと）にひび割れが。第一放送局の中継にて。刑法で罰せられるか」と記している（下）。

　そして、ほかの頁では、「戦争」ということばも使えない、政府のプロパガンダも報じたくない、と白紙頁を印刷した。こ

の「白」は、多くのことを物語り、明らかにするための「白」、まさに「抗議」ということばが詰まった「白」である（下）。

　このあと『ノーバヤ・ガゼータ』紙は、「特別軍事作戦」が終了するまで発行停止処分を受けた。休刊中、編集長のムラトフさんは列車のなかで暴漢に赤いペンキをかけられるなどのいやがらせを受けている。まさにロシア革命後の内戦を彷彿させる、赤と白の戦いである。

　そして、ロシア国外に逃れた記者と、副編集長だったキリル・マルティノフさんが編集長に就任し、『ノーバヤ・ガゼータ・ヨーロッパ』として活動を再開した。

さまざまな白旗

　降伏するとき白旗を上げるのは、古来から行われていた。おそらく、自軍を示す模様やシンボルがない、つまり自己主張していないところから、戦意がない、という意味にとられるようになったのだろう。

　戦争におけるルールは、国境が隣り合い、もめやすい隣国と

右頁）「WAR」のところにぼかしを入れた『ノーバヤ・ガゼータ』紙表紙、2022。

下）『ノーバヤ・ガゼータ』紙の何も印刷されていない頁、2022。

ある程度の取り決めが古代からなされていた。

初期のイスラム法では、そのルールが細かく規定されていた。おそらく、世界一進んでいたと思われる。たとえば、苛烈な戦争、敵対行為を早期にやめるための指針、民間人と戦闘員を区別する必要性、破壊のための破壊の防止、戦傷者・戦病者の介護など、現在の国際法にも十分通用しそうな、軍事行動に人道的制限を加えていた。

一五世紀に大航海時代がはじまると、探検や交易などで商取引が盛んになる。植民地獲得競争もはじまる。つまりグローバル化だ。なんらかの国際ルールの必要性も浮上しはじめる。

一六、一七世紀には、カトリック派とプロテスタント派による宗教戦争も頻発。ヨーロッパ諸国は常に緊張を強いられていた。

一六四八年、三〇年戦争終結後に結ばれたウエストファリア条約がおそらく国際法の原典となり、白旗が降伏の印であることも銘記されたと思われる。

「プーチンの戦争」では、「非ウクライナ化」をめざしている。「ウクライナ人は存在しない、いるのはロシア人のみ」（汎ロシア）という前提にプーチン大統領が立っているからだ。だから、ウクライナの民間人が白旗を掲げてもロシア兵は銃撃したという。侵略した時点でロシアは、国際ルールを無視した、単なる無法国家となったわけで、白旗無視も、世界への大胆な挑戦のひとつだと思われる。

日本はずっと鎖国をしていたので、国際法（万国公法）の存在は、一般には知られていなかった。ただし、奈良時代以来、白旗を降伏の印として使っていた。

ペリー提督が開国を求めて、黒船艦隊（黒塗りの船体だったので日本人は黒船と呼んだ）を率いて浦賀沖に停泊したのは一八五三年。近代的で、当時の日本最大の船の約三倍の大きさを持つ黒船艦隊をバックにした、友好よりも恐怖を与える砲艦外交である。

黒船には、アメリカ国旗の星条旗とともに白旗が掲揚されていた（下）。しかしこの白旗は、降伏の印ではなく、この旗が揚がっているときは交渉ができる、乗船してもよい、戦意はない、という意味だったらしい（日本側代表に白旗を渡して降伏を迫ったという説もある）。

日本人にとって白旗は、色としての「白」い旗でなく、なにも加工（表現）が加えられていない「素《しろ》」旗である。プロじゃない「素人《しろうと》」、酒に酔っていない「素面《しらふ》」、素焼きのままの「素地《しらじ》」などだ。ナイチンゲールの「白」と同じで、はじ

ペリーの黒船に掲げられた白旗。

めの無垢な状態のことをさしている。日本で素旗がなびくときは死者を弔うとき。白装束の白も「素」だ。「素」に戻す、である。

　ちなみに、ペリーの初来航の翌年、ペリーは再訪し、日米和親条約が締結された。そこで、国籍を示す艦船旗が急遽必要となった。薩摩藩の島津斉彬《なりあきら》らは、それまで「白地に赤丸」として普及していた旗（幟）を提言し、日本国総船印の幟として採用された。国旗が決まった時点で、日本が世界に正式にデビューしたといえる。

コラム　迷彩柄戦闘服

歴史上はじめての迷彩柄使用は、18世紀半ばの7年戦争のアメリカ戦線、フレンチ・インディアン戦争での、イギリス直属のアメリカ植民地民兵組織ロジャーズ・レンジャーズ。かれらは、全身を緑の戦闘服で包み、森に潜み、狙撃で活躍した。ただし、「迷彩」の発想が広まるのはまだ先だ。

　19世紀半ば、在インド英軍ハリー・ラムデン中尉は、インドの大地になじみやすい泥色の軍服としてカーキ（ヒンズー語で「泥」）色を考えた。1902年に、イギリス陸軍は、世界に先駆けてカーキ色の軍服を正式に採用、世界中の軍隊に広まる（カーキ色は茶系から緑系までと色の幅は広い）。これは銃器・大砲が発達し、かつてのように戦場で目立つことは死に直結していることが周知され、できるだけ周囲に溶け込みそうな色を選ぶようになったから。

　第一次世界大戦では、航空機による空からの写真撮影もはじまり、戦車や大砲などに迷彩カラーが施されるようになったが、軍服デザインにはまだ手が回らなかった。

「迷彩柄」をはじめて軍服デザインに用いたのはナチ武装親衛隊の、ヴィルヘルム・ブラントSS少佐。かれがデザインした迷彩柄のツェルトバーン（ポンチョにもケープにも、つなげればテントにもなった）とヘルメット・カバーは、1937年12月の実戦訓練で、15％も兵士損耗率を下げられたと高評価を得て研究が進み、1944年に迷彩戦闘服を完成、世界ではじめて武装親衛隊（国防軍は別組織なので採用できなかった）が採用した。

　アメリカ陸軍も同じころ迷彩柄を使ってみたが、ドイツ軍の戦闘服と似ていたため誤射が多く、採用を見合わせた。アメリカ陸軍が迷彩柄を正式に採用したのはベトナム戦争から。ジャングルでの対ゲリラ戦でその有効性が証明されたため。

　21世紀になって、ドットを使った「デジタル迷彩」がロシア軍や中国軍、アメリカ陸軍で採用された。しかしアメリカ陸軍は、アフガニスタン戦争で効果があまり認められなかったため、いままでの「アナログ迷彩」に戻った。

　今後は、背後の光を前に回り込ませるメタマテリアルのような物質を利用したマントで、完全に（存在をみえなくする）「消す」方向に向かうだろう。映画『プレデター』（ジョン・マクティアナン監督、1987）の世界だ。とはいえ、「目視」ではなく赤外線カメラなどを使うケースも増えている。「迷彩柄」は、カモフラージュというよりも戦闘服イメージとして使われていくようになるだろう。

2 戦争としるし

「TASSの窓」通信504号ポスター「雷鳴」、第二次世界大戦中。イギリス・アメリカ・ソ連の連合軍がナチス・ドイツを打ち据える。風刺画家トリオ、ククリニスキー画。

「プーチンの戦争」のシンボル

ウクライナに侵略した「プーチンの戦争」において、ロシア国内には、侵略ではなく「特別軍事作戦」とプロパガンダ、いや、うそぶいた。ロシア軍は、戦車や軍用機トラックのボディに、ローマン・アルファベットの「Z」や「V」の文字を記していた。ロシア語を表記するためのキリル文字の「Z」は「3」、「V」は「B」だから、なぜローマン・アルファベットを使ったのか、ということも興味深かった。「Z」も「V」も、はじめはロシア軍を示す、識別記号だった。ロシア軍の装備にはよく使われていた記号である。

しかし、「Z」は識別記号を超えて、徐々に侵略のシンボルとなった。ロシア国内で「Z」は、「特別軍事作戦」のシンボルとなり、Tシャツ、パーカーや物品に加えて、乗用車や店のウインドウなど、さまざまなところにみかけられるようになった。

対独戦勝記念日（毎年五月九日）のパレードの二〇二二年のリハーサルでも、戦闘機による編隊飛行パフォーマンスでは、戦闘機八機による「Z」の組み飛行が行われ、「Z」がロシア軍のシンボルであることを政権側が正式に認めた形となった。しかし、記念日当日には航空機ショーは行われなかった。天候不順がその理由らしいが、記念日に報告できるほどのはかばかしい戦果がなかったことなどで、抑えめのイベントになったと思われる。

「Z」といえば、吹きだしのなかに「Z」を入れれば、コミックではおなじみの、眠っている状態のシーンだ。『スヌーピー』にもある（下）。

ロシア軍は、たしかに緒戦では寝ぼけているような、規律の乱れ、士気の低下による戦略ミスが目立った。指揮の乱れ、というよりも、ウクライナにはロシア兵士たちの友人・知人・親戚がいるから、わざとサボタージュした、という説もでていた。

しかし、戦争が長引くにつれて、目が覚めたのか一段と残虐になり、性暴力にも手を染め、ロシア兵の人非人化が進んだ（＊）。

「Z」の意味

このロシア軍のシンボル、「Z」の意味がいろいろと取り沙汰された。ロシアからみて西側に侵略するから「西（露Zapad、Запад）」の頭文字、「勝利のために（露Za pobedu、За победу＝For Victory）」の「ために（Za）」の「Z」などと囁かれた。

一方、「V」はもちろん「Victory」の「V」。ウラジーミル・プーチンの「V」という揶揄も聞かれるが、ウクライナのウォロディミル・ゼレンスキー大統領も「V」からはじまる。しかも、名字の頭文字も「Z」なので、ゼレンスキー大統領の名前を識別記号にしたのでは？という揶揄になる。あるいは、ウラジーミルの「V」が

『スヌーピー』でも「Z」は寝ているしるしとして使われている。

＊ただし、プーチン大統領は破壊しすぎという勢力や、一方でプーチンは手ぬるいとする退役軍人グループもいて、どちらもプーチン後を見据えているようだ。しかし、そこには、多くの人の死が絡んでいることは顧慮されていないようにみえる。

ウォロディミルの「V」を制圧する、という意味かも。だいぶ妄想が膨らんでしまったが、いずれにせよ直球の名前でいくなら、プーチン大統領の「P」しかないはずだ。

二〇二二年三月一八日、クリミア半島併合八周年記念イベント会場では、多くの人がロシア国旗を振り、胸に「Z」印をつけた人もいた。司会進行の男女の胸にも「戦争と色」で触れた「ゲオルギーのリボン」でつくった「Z」がついていた。

真偽は不明だが、BBCニュースの取材によると、かなりの人が雇用主からの強制や、代休をもらえるからなどの理由で動員されたのではないかという。ともかく、ここまでの国旗や「Z」の乱舞には違和感を抱かざるをえない。

プーチン大統領が演説するステージの上には「ナチズムのない社会のために」「ロシアのために」というスローガンが掲げられている。どちらも「ために」のところが、キリル文字の「ЗА」ではなく「ZA」とローマン・アルファベット表記だ。やはり、「Z」の意味は「ために」に収斂したようだ。

ロシアの侵略に反対する人びとは「Zachem（зачем＝どうして？）」「なぜ侵略したの？」の「Z」だと批判する。ゾンビ（зомби）も「Z」からはじまる。ちなみに、「戦争と色」のところで触れているが、「ゾンビメーカー」とは（『ノーバヤ・ガゼータ』紙がいうところの）国のプロパガンダを流すテレビ局のこと。

ロシア軍が「Z」を使ったことで「Z」の頭文字を持つ企業などはイメージ低下を

恐れた。

ロシアによるウクライナのクリミア半島併合後、ロシアが勝手に決めたウクライナ共和国の検事総長に就任し、「親ロシア・親プーチン」の象徴的人物とされる、現在ロシア連邦交流庁の副局長ナタリヤ・ポクロンスカヤさんは、「プーチンの戦争」の「Z」を「悲しみと悲劇のシンボル」とし、逮捕されるリスクも辞さない発言をしていたが（二〇二二年四月末）、結局、辞職に追い込まれた。

「Z」のプロパガンダ

そこで最初の疑問、なぜキリル・アルファベットではなく、ローマン・アルファベットを使ったのか。

考えられることは、世界にたいするアピール、プロパガンダだ。ウクライナを侵略するだけだったらキリル文字の「Z」に当たる「3」ですむ。

しかし、侵略前からアメリカ・NATOはロシアが軍事行動を起こしても派兵しない、介入しないと主張してきた。これがプーチン大統領に侵略という決断をさせたきっかけのひとつ。もしアメリカがトランプ大統領だったら、どうでるか行動が読めないので、侵略を決断しなかったかもしれない、ともいわれている。

また、プーチン大統領もこの侵略は短期間で決着がつくと踏んでいた。ウクライナのクリミア半島併合のときのように事は簡単にいく。世界は、結局、侵略、いや「特別軍事行動」を承認せざるをえなくなる。つまり、すべてに渡ってなめていた。そこで、「凱旋」侵略というか、世界に侵略を誇示するためにあえてローマン・アルファベットを使ったのかもしれない。プロパガンダとしての「Z」「V」である。

　カギ十字をふたつに分けて回転し重ねると「Z」になるというカリカチュアも現れた（下）。プーチン大統領とナチスをオーバーラップさせた最高の皮肉である。

　余談ながら、船舶などが掲揚する国際信号旗の文字旗のひとつに「Z旗」（左頁下）がある。ふたつの対角線で四分割し、黄・青・赤・黒で識別したもので、たとえば、動けなくなったから曳航してほしいとか、現在では投網《とあみ》中で停まっているときなどの注意喚起のときに使う。

　日本独自のZ旗の使い方がある。日露戦争のとき、旗艦三笠で指揮をとっていた連合艦隊司令長官東郷平八郎が、日本の存亡はこの一戦にかかっているから決死の覚

悟で戦え（「皇國ノ興廢此ノ一戰ニ在リ、各員一層奮勵努力セヨ」）、という意味でこのZ旗を掲げ、日本海海戦で大勝利を果たした。ここから、その後の太平洋戦争でも、危急存亡のときにZ旗を掲げるようになった。戦時でなくても「全員一丸となって奮励努力せよ」という意味でも使われるようになった。ただし、これは日本だけの話。

ここから、日露戦争での屈辱をプーチン大統領が「Z」で晴らそうとした、という妄想も浮かぶ。しかし、プーチン大統領にとっては、一九八九年のアフガニスタンでの敗北、あるいはソ連邦崩壊のほうが屈辱的かもしれないので、

上）日露戦争（1905）のときの日本海海戦での連合艦隊旗艦三笠にZ旗（左上）が掲げられている。〈三笠艦橋之図〉（東城鉦太郎、1906）。
左）国際信号旗「Z旗」。

右頁）アダム・ジグリスが描いたプーチンとナチスの類似性というカリカチュア、2022。

この妄想はやっぱり妄想でしかない。

「プーチンの戦争」が長期化するにあたって、ロシアでは兵力不足を補うために地下鉄などに徴兵ポスターを貼った。そこには「戦争と色」で触れた「ゲオルギーのリボン」でつくった「Z」のしるしとともに、「わたしのすべきこと」として、「一八歳以上、短期契約、月収（日本円で）四万八〇〇〇〜八万円、迫撃砲兵などの軍務、経験不問」などと書かれていた。月収は平均的な兵士の給料らしいが、軍務が「迫撃砲兵」とあり、「経験不問」ということの恐ろしさには当然触れていない。迫撃砲は経験が必要だし、かなり最前線だ。未経験者を死と隣り合わせの軍務につかせるつもりなのだ（下）。

迫害から生まれた「十字」

　進軍するときの代表的なシンボルといえば、一一世紀末に登場した十字軍の「十字」。当時の教皇ウルバヌス二世が、キリスト教公会議で「十字」をシンボルとして掲げて、異教徒イスラム教徒によって占領された聖地エルサレムを奪回し

「プーチンの戦争」で地下鉄に貼ってあった、「ゲオルギーのリボン」を使った徴兵ポスター（簡略化している）、2022。「わたしのすべきこと（それは軍隊志願）」。作図：金丸美波。

よう、と宣言した。諸侯・民衆は、熱狂的に「十字」を受け入れた。このとき「十字」は、「殺しを許可する記号」(『007は殺しの番号』という映画があった)となった。

エルサレムは、ユダヤ教、キリスト教、イスラム教という三大宗教の聖地だが、キリスト教もイスラム教もユダヤ教から派生しているので当然聖地が重なる。当時は、紋章を描いた盾も流行りはじめていたが、十字がいちばんシンプルで、キリスト教徒に馴染み深い。

「十字」という形がキリスト教徒の間で注目されるようになったのは、おそらく三・四世紀ごろ。当時のローマ帝国では、今からは信じがたいが、キリスト教徒が迫害され、ユダヤ教徒が優遇されていた。イスラム教はまだ生まれていない(七世紀ごろムハンマドによって創始される)。つまり、キリスト教は、主流どころか傍流でもなく異教扱いだったのだ。だから迫害され、このときの主流だったユダヤ教への恨みが、のちのユダヤ教徒迫害の一因となった。

キリスト教徒は、江戸時代のキリシタンと同じく、キリス

十字のしるしを胸につけた、〈十字軍によるエルサレム奪回、1099年7月15日〉(エミール・シグノール、1847)。

ト教徒とバレると殺されるか奴隷にされた。キリスト教の冬の時代である。

そこでキリスト教徒は、信徒同士の符牒をいろいろ決めた。符牒といってもモーセの十戒で偶像崇拝禁止と定められているということもあり、暗号のようなもの。

たとえば、「イエス・キリスト、神の子、救い主」のラテン語の頭文字をつなげるとギリシャ語の魚の意味の語ができることから符牒は魚の絵になる、という具合（右）。

そのなかのひとつに「XP」を重ねたモノグラムがあった（右）。「XP」は、ギリシャ語の「キリスト」のスペルの頭の二文字である。この「X」がのちに十字の原形となった。

イギリスのユニオンジャックは、イングランド国旗「＋」（聖ジョージ・クロス）とス

魚のモノグラム。魚のなかに「イクテュス」（ギリシャ語「魚」）が書かれている。ほかに、鳩、フェニックス、孔雀、子羊、ぶどうの樹などの絵も使った。

「キリスト」のギリシャ語のはじめの2文字「XP（キーロー）」を重ねたモノグラム。

イギリス国旗の変遷
上）イングランドの国旗。12世紀はじめ、イングランドは赤地に白十字、フランスは白地に赤十字と決めたが、13世紀にイングランドが勝手に白地に赤十字にしてしまい、フランスは赤地に白十字に変えざるをえなかった。

中上）「聖アンドリュー・クロス」として知られる×型のスコットランドの国旗。

中下）赤の「×」じるしのアイルランド「聖パトリック」旗。

下）以上の3つが合体した現行のイギリス国旗。

コットランド国旗「×」（聖アンドリュー・クロス）が合体したもの（右頁）だが、ギリシャ語の「X」は、そのスコットランドの「×」に受け継がれている。「聖ジョージ」は、「戦争と色」のところで触れた、ロシアの黒とオレンジのリボンの「聖ゲオルギー」の英語読み。聖ジョージは十字架、聖アンドリューは×型の十字架で処刑されたという。

シンボルとなった「十字」

しかし、キリスト教の想像以上の広がりに、ローマ皇帝は統治のために利用しようと、キリスト教を公認（三一三）し、のちに国教（三九二）とする。やっとキリスト教の世界が訪れたのだった。

こうしてキリスト教は表舞台に立ったが、迫害時代の長く使い続けた符牒の記憶は消えなかった。やはり青天白日のもとで信仰できるシンボルが欲しい。「X」的なシンボルを。

そして三二〇年に、ゴルゴダの丘で処刑されたキリストの十字架が発見された。そんな何百年も前の木が残っているはずもなく、まあ、噂の類だったが、シンボルを求めていたキリスト教徒にとっては天啓だった。各地のキリスト教会でゴルゴダの十字架とされる木が多数置かれる事態を招いた。「ゴルゴダの十字架」ブームである。

かくして徐々に「十字」が浸透し、キリスト教美術のなかでは六世紀ごろにやっとキリスト教のシンボルとしての「十字」の形が登場するようになった。

ところで、「プーチンの戦争」で、ロシア軍に侵攻されたウクライナの街では、随処に民間人死者の仮埋葬が行われ、手づくりの十字架が添えられていた。その数の多さがロシア軍の蛮行を物語っている。民間人虐殺を指揮した中佐はその後、その褒賞として大佐に昇格したという。なんともはやだ。

ともかく、このお墓に建てられた十字架は、ロシア正教などで特有の（日本の正教会でも使う）八端十字（下右）、六端十字（下左）と呼ばれる、十字の末端の数が八か六ある十字だ。

八端十字は、磔刑《たっけい》にされたイエス・キリストの十字架に近い形とされ、上の左右が短い横板には罪名を記し、下部の斜めの板は両足を支える足台だという。

足台はキリストにとって左が下がり、右が上がる。こちらからみると、右下がり。こんなところにもキリスト教の右優位がみてとれる。「マタイによる福音書」のなかに、右は祝福された者、左は呪われた者と記され、ユダヤ人などは左に含まれた。

したがって棺に八端十字か六端十字が貼りつけられる場合の足台も、死者からみて左手側が上がる（こちらからみて右下がり）。

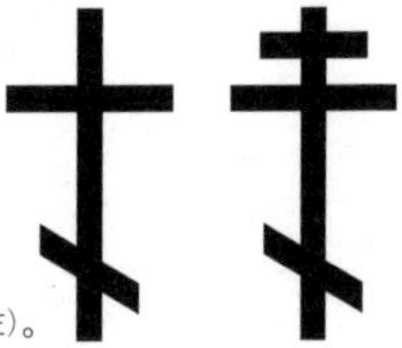

八端十字（右）と六端十字（左）。

殺し・破壊・死のしるし「十字」

十字軍は、異教徒を排除して聖地エルサレムを奪回することを表向き目的としていた。しかし、「異教徒の排除」には、ユダヤ人も含まれていた。ユダヤ人への大規模な迫害はこの十字軍派遣を契機としてはじまった。

十字軍の兵站《へいたん》は「現地調達」である。このことばには、異教徒であるユダヤ人からの強奪も含まれ、「異教徒排除」という意味では十字軍の目的とも合致していた。そのためわざわざ遠回りしてユダヤ人を虐殺し、その財産を奪った十字軍諸侯もいた。十字は「殺しのしるし」となった（下）。

また、第二回十字軍のあと、キリスト教滅亡祈願のために、赤ちゃん・子どもの血を使った「儀式殺人」がユダヤ教徒の間で行われている、「邪悪なユダヤ人」というデマ、今でいうフェイク・ニュースが流れ、十字軍によるユダヤ人への迫害を正当化した（次頁下）。おそらく聖職者がこのフェイク・ニュースの発信元だ。赤ちゃんを殺してるから迫害するなんて、どうも「プーチンの戦争」の口実を思いだす。

1099年、エルサレム市街でユダヤ人も含む異教徒を殺戮する十字軍兵士。

当時のユダヤ人は、通常の仕事につくことが禁じられていた。しかし、第三回十字軍の少し前にキリスト教徒は金貸しをしてはいけないことになり、金貸しはユダヤ人の専業となった（イスラム教でも禁止している）。シェイクスピアの『ベニスの商人』が金貸しなのもその仕事しか許されていなかったから。

金貸しは汚い仕事だと思われていたので、「邪悪なユダヤ人」に最適だと考えられた。のちに、金貸し業によって、ユダヤ人が裕福になっていくのも、いいかえれば、キリスト教徒の自業自得ともいえる。

ともかく、ユダヤ人に借金していた諸侯は多く、十字軍遠征はそれをチャラにでき

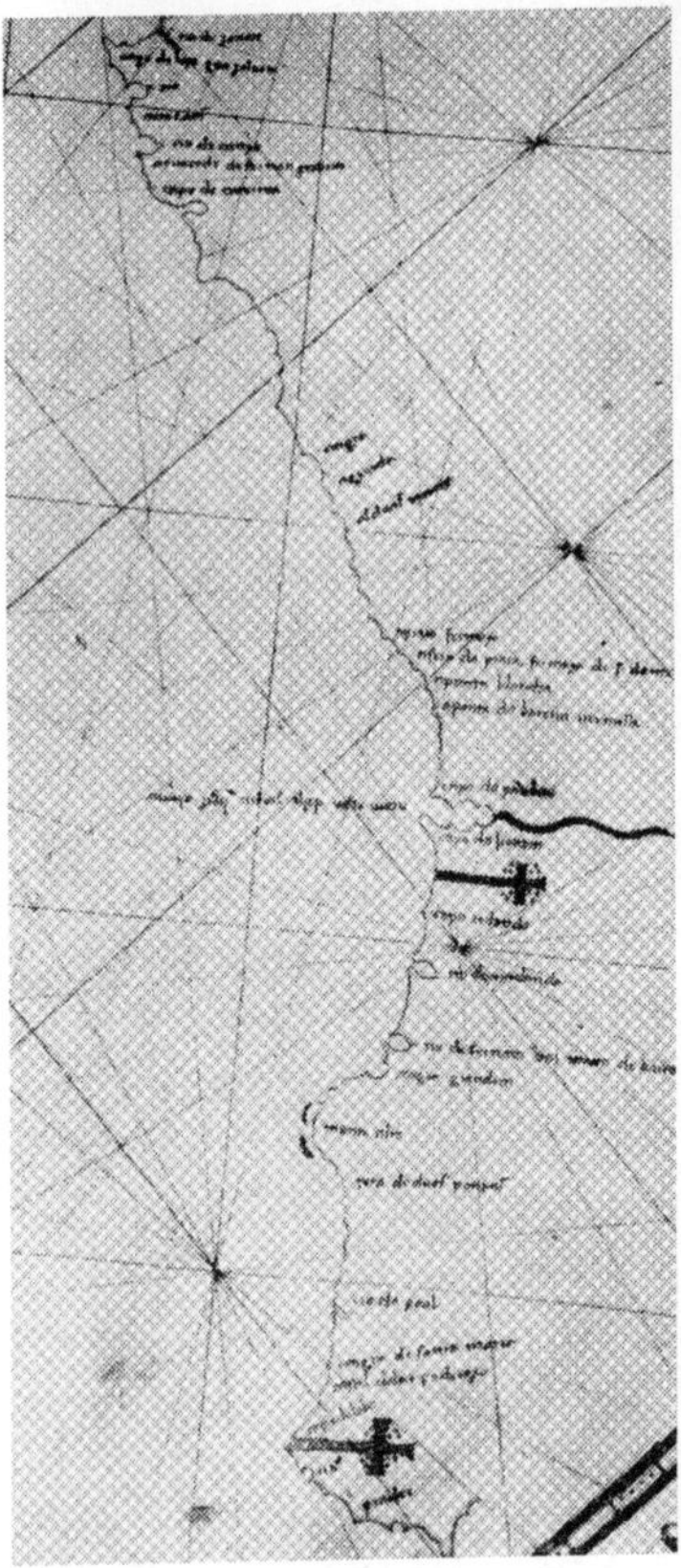

沿岸に上陸した地点のポルトラノ地図、1490ごろ。十字架形がその発見の標識。

カトリック教側の木版画によるプロパガンダ、ユダヤ人は子どもの血を儀式で使っている。

る絶好のチャンスでもあった。

そして「十字」は、西洋地図のなかにも登場するようになる。一四九〇年ごろのポルトガルがつくったアフリカ沿岸の地図（右頁）では、十字が散見される。これは上陸地点に国旗を立てるようなものではあったが、いわば侵略のしるしでもある。

ちなみに、一五七四年、イエズス会の宣教師に洗礼を受けた長崎のキリシタン大名、大村純忠《すみただ》は、寺社の大規模な破壊を領民に命じた。領民は、神父の説教というかアジテーションを聞いたあと、十字架を携えて寺社の破壊に向かった。このとき十字のしるしは、「破壊のしるし」となった。

しかし、一五八七年に豊臣秀吉がバテレン追放令をだし、徳川幕府によるキリスト教の禁教令によって、十字は「死のしるし」となっていった。

救けるしるし「十字」

しかし、邪悪にまみれたかのような「十字」が、一九世紀半ば、平和の装いを身につけた。赤十字のシンボル「白地に赤い十字」である。

ナイチンゲールは、一八五三年からはじまったクリミア戦争に看護婦として従軍し、戦死以上に、感染症などによる戦病死の多さに衝撃を受け、病院を清潔にするなど病院改革の道を開いた。

Join now!
The Red Cross serves humanity

ちょうど同じころの一八五九年、スイスの銀行家アンリー・デュナンは、イタリア統一戦争におけるソルフェリーノの戦い（右頁上）をみて（ナポレオン三世に事業支援を求めるためたまたま戦場にいた）、戦傷者の悲惨な状態を目の当たりにし、衝撃を受けた。敵味方の区別なく救護を行う団体の必要性を痛感した。ナイチンゲールの活躍はかれのこの発想を後押しし、とうとう一八六三年に赤十字国際委員会が発足、ジュネーブ条約などを経て、現在の国際赤十字につながっていく。

この赤十字のシンボルは、赤十字の発案者デュナンの故国スイスに敬意を表して、スイスの国旗を反転した、白地に赤い十字が採用された。

ただし、イスラム教圏での「十字」は、キリスト教のしるしであり、十字軍を連想するからと、一八七六年にオスマントルコがトルコの国旗に記されている赤新月、つまり、赤い三日月を十字のかわりに使い、一九二九年のジュネーブ条約で赤新月社として承認された。現在では、宗教色を消すために、十字でも赤新月でもないひし形（レッド・クリスタル）も承認されているが、あまり普及していない。

日本では、のちに初代日赤社長となる佐野常民《つねたみ》が一八六七年の第二回パリ万博で赤十字の存在を知り、その十年後の西南戦争で、すぐ博愛社を設立し、救護活動を行った。

開国で信教は自由となったが、キリスト教にたいしての抵抗感はまだ残っていた。

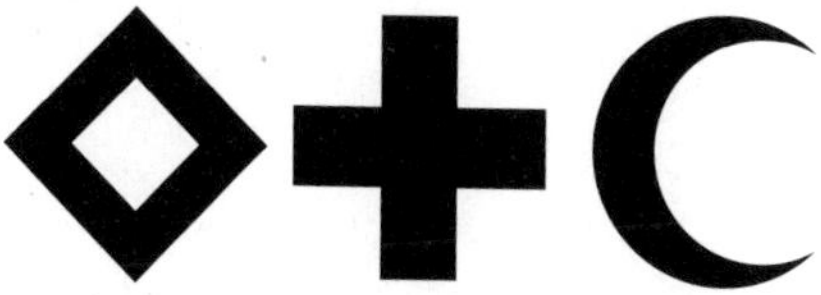

レッドクリスタル。　赤十字。　赤新月。

右頁
上）デュナンが目撃したソルフェリーノの戦い、1859。
下）赤十字国際委員会への参加を求めるポスター。

西南戦争で活躍した博愛社。

そこで博愛社の旗は、赤十字国際委員会の「＋」ではなく、「●」の下に「一」を加えた形となった（下右）。西南戦争の政府軍の旗は旭日旗、薩摩軍の旗は「○に十字」だったので、両者の間をとったデザインのようにも思える。

　そして、西南戦争後の一八八七年に日本赤十字と改称し、赤十字国際委員会の承認を得て、国際赤十字の一員となった。シンボルも赤い十字をそのまま使った。無宗教者の多い日本では、赤十字を宗教の気配のまったくないしるしとして認識している、世界でも数少ない国だろう。

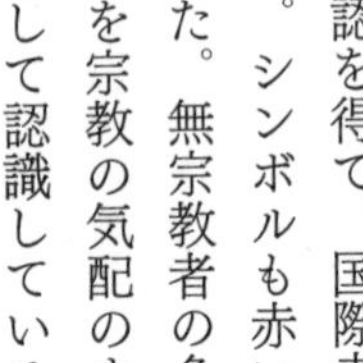

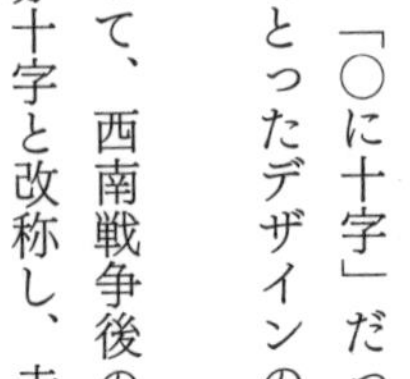

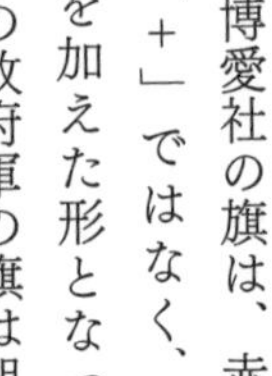

作図：加藤愛子　薩摩軍の旗。　明治政府軍の旗。　博愛社の旗。

聖書で戦争を「聖戦化」する

二〇〇一年九月一一日、イスラム過激派アルカイダによってアメリカに同時多発テロが敢行された。アメリカ国内の、テロ犯に報復を、の大合唱を背景に、ブッシュ大統領は、アルカイダをタリバンが匿っているとして、タリバンが統治するアフガニスタンに侵略を決めた（二〇〇一～二一）。さらにかれは、これは聖戦で十字軍なんだ、とつい本音を漏らしてしまった。宗教戦争である。こうしてアメリカは、約二〇年にわたるアメリカ史上最長の戦争をはじめた。

二〇〇三年には、イラクとアルカイダの関係も疑いはじめた。「戦争とデザイン」でも触れているが、アルカイダが中心にいる「悪の枢軸」論である。

そして、大量破壊兵器を持っているとしてイラク侵略をはじめた（二〇〇三～一一）。侵略理由はのちに虚偽であることがわかった。この侵略は、石油利権の安定化、軍産複合体のための軍需物資の消費（浪費）、基軸通貨としてのドルの安定化などさまざまな不純な動機が絡んだ上での侵略だった。

イラク戦争の末期の二〇一〇年はじめ、「米軍が聖書ライフル」という記事が朝日新聞に掲載された。米軍がイラクやアフガニスタンで使用している銃の照準器に聖書の章節の数字が記されていた、というのだ。イラク・アフガン戦争がキリスト教布教のための宗教戦争だと誤解される恐れがある、と軍内の信仰の自由を訴える団体からの批判で明るみにでた。

報道によれば、問題となっている、アメリカ、ミシガン州の銃部品製造会社トリジコン社製の照準器のモデル番号に「JN8:12」と刻印されていたという(下)。トリジコン社は、米海兵隊や陸軍に大量の照準器を納入しているメーカー。

この文字と数字は、「ヨハネ福音書」の「第八章一二節」と読ませたいらしいことがわかった。「ヨハネ」は「Johannes」、英語では「John」、略して「JN」。

「ヨハネ福音書第八章一二節」には「それで再び彼らにイエスが語って言った、『私は世の光である。私に従う者は闇に歩むことはない。生命の光を持つであろう』」（田川建三『新約聖書　訳と註　第5巻』）とある。

殺人をするための装置に聖書の章節は似合わないが、狙撃手である自分の命は神が守ってくれるから思う存分殺人に集中せよ、ということなのだろうか。無慈悲すぎるような感じがするが、戦争の聖戦化である。トリジコン社の創業者が熱心なキリスト教徒らしく、おそらくあまり深く考えないで刻印させたのだろう。それにしても照準器と聖書をリンクさせるのはさすがにまずいのでは、と提言するスタッフがいなかっ

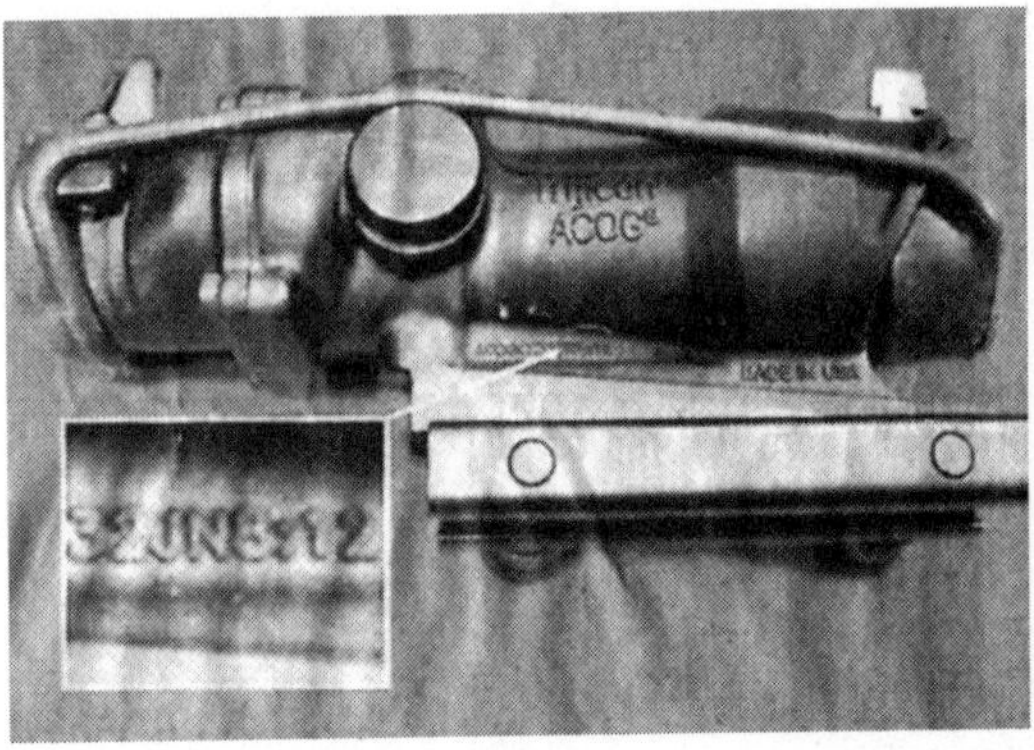

イラク・アフガンで使用されたアメリカ軍の照準器に刻まれた聖書「ヨハネ福音書」の章節。

たことに会社の不幸があった。

「子どもたちのために」

「プーチンの戦争」で、ウクライナ東部ドネツク州クラマトルスクの人びとが避難していた駅に無慈悲にもロシア軍がミサイル攻撃をし、多くの死傷者がでたという報道があった。このとき落ちたミサイルの破片のボディに、「子どもたちのために」という、残酷なことばが記されていた（下）。子どもたちへの（死の）プレゼント、という意味である。

長崎に投下された原爆「ファットマン」は、尾翼に開発者のサインが記され、投下に向けてB29に搭載された。

日本への原爆投下は周到に準備された。まず、大きな原爆を積めるようにB29を改良した。そして、未体験の核爆発に機体がどれだけ耐えられるかは未知数だったので、

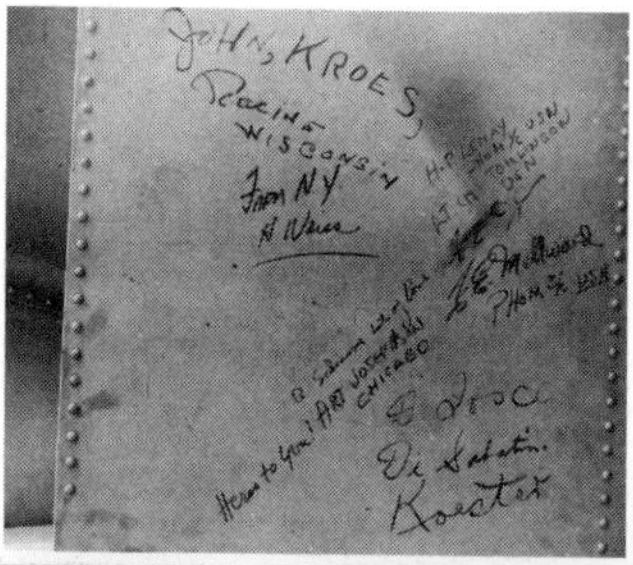

左）原爆ファットマンの尾翼に記された開発者たちのサイン。
下）ロシアは、ウクライナ東部クラマトルスクの鉄道駅を短距離弾道ミサイルで攻撃、その破片には、ロシア語で「子どもたちのために」とあった。

「ファットマン」と形も重さも同じにした模擬爆弾「パンプキン爆弾」をつくり、B29に、日本本土投下のための訓練をさせた（下）。

模擬爆弾といっても、コンクリートやセメントを詰めただけのものもあったが、四・五トンの火薬を詰めたものもあった。四・五トンの火薬といえば、当時の爆弾では最大。東京大空襲のときに落とされた総爆弾量の四四四四発分にあたる。

その模擬爆弾用に改装されたB29の一機「ストレイト・フラッシュ」は、皇居に模擬爆弾を落とそうとして、視界不良で東京駅八重洲口付近に落ちてしまった。この「ストレイト・フラッシュ」のノーズアート（下）が、米軍が人（おそらく日本兵）を洋式便器に追いやっているヘタクソでえげつない絵。戦争に知性を求めてもだめだ。

上）原爆「ファットマン」の模擬爆弾「パンプキン爆弾」。1945年7月20日から、パンプキン爆弾は、日本に2発の原爆を落としたにもかかわらず、8月14日まで、計49発投下された。

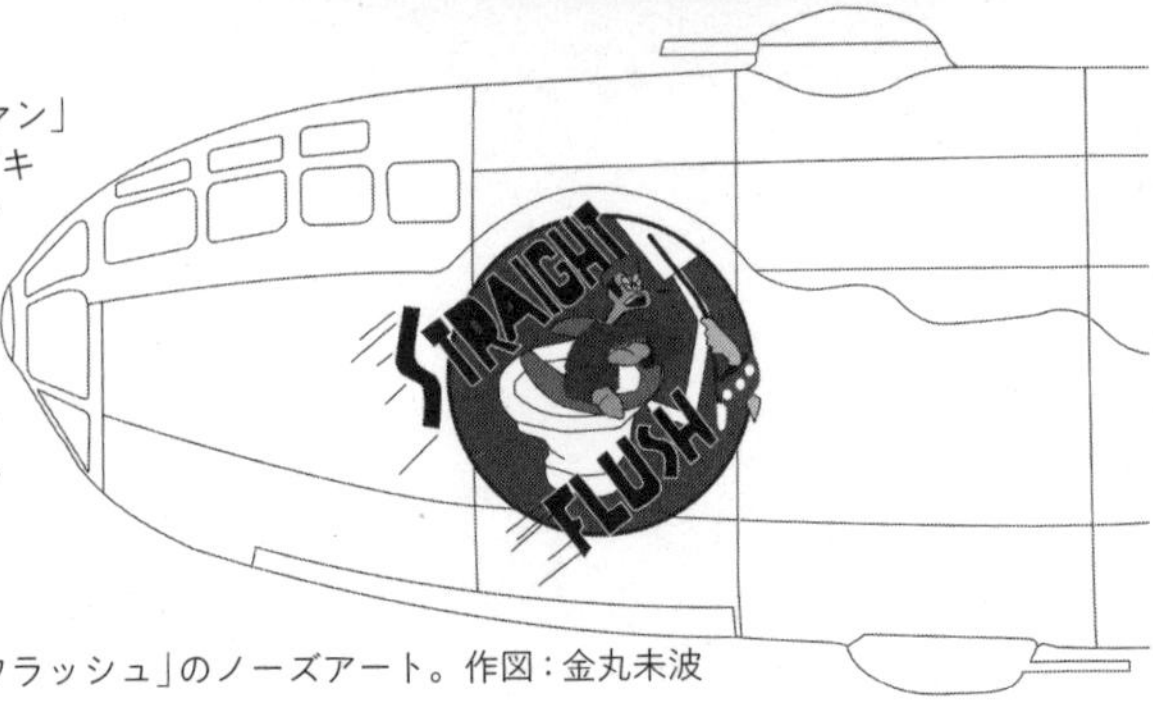

B29「ストレイト・フラッシュ」のノーズアート。作図：金丸未波

えげつないといえば、ウクライナ東部でロシア軍と対峙しているアゾフ連隊もヘイト動画などで問題を起こしたニュースがあった。

もともと義勇兵としてはじまったアゾフ連隊は、後述するが、プーチン大統領がネオナチと呼んだウクライナの民族主義的極右組織。ナチスが使用していたシンボルに似たデザインを旗や軍服に縫いこんでいるとして、プーチン大統領にネオナチ呼ばわりされている。ロシアの二〇一四年のクリミア併合以降、対親ロシア戦争で、ウクライナ国家親衛隊に所属し、活躍したところからプーチン大統領の非難が集中した。

そのアゾフ連隊は、侵略してくるロシア軍のなかにイスラム教徒のチェチェン人がいるとして、覆面姿の兵士が弾丸を豚のラードに突き刺してから弾倉に込める動画を国家親衛隊公式ツィッターにアップした（下）。宗教的禁忌として豚肉を嫌うイスラム教徒のチェチェン兵にみせるためのヘイト動画だ。さすがにえげつないとして閲覧に制限がかけられたが、「プーチンの戦争」もやはりどこまでいっても宗教戦争の影がつきまとう。

とはいえ、これが「戦争」というものの実態でもある。敵に優位に立つためにはなりふり構っていられない。ウクライナのゼレンスキー大統領が、アメリカに軍事支援を求めるた

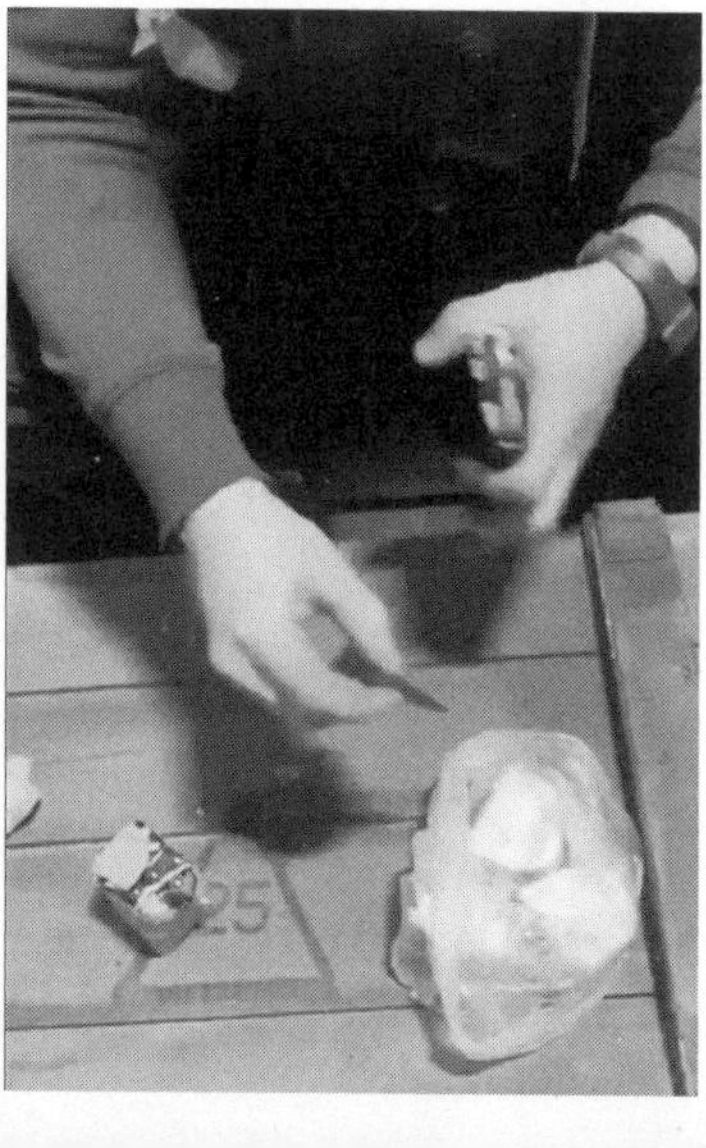

ロシア軍のなかのチェチェン出身のイスラム教徒の兵士にみせるために、ウクライナ国家親衛隊の公式ツィッターにアップされた、アゾフ連隊兵士が豚のラードに銃弾を突き刺すシーン。左手に銃のマガジンを持ち、右手に銃弾がみえる。左下が銃弾箱、右下が豚のラード。

めに行ったアメリカ議会での演説で、今ウクライナは同じことをされているとして、アメリカ同時多発テロや真珠湾攻撃の例を持ちだしたのもアメリカ国民の琴線に触れるためだ。日本のさまざまな支援よりもアメリカの軍事支援のほうが喫緊に必要だから、日本に気を使ってなんかいられない。

アゾフ連隊のしるし

プーチン大統領が侵略の口実にしたように、ウクライナにはたしかにネオナチ、というか民族主義組織がある。ただし、オリヴァー・ストーンが製作総指揮をした映画『ウクライナ・オン・ファイア』（イゴール・ロパトノク監督、二〇一六）で描かれたような、ウクライナを仕切っているのはネオナチ、という評価は、ロシアのプロパガンダに添いすぎていたように思える。

二〇一四年の、ウクライナの親ロシア派政権を失脚させたマイダン革命で、民族主義組織やＣＩＡが暗躍したことは知られているが、だからといってウクライナが民族主義組織に乗っ取られているわけではない。そもそも、民族主義組織が生まれたのもロシアの権威主義が原因で祖国愛が高まったからだ。ストーン監督は、プーチンに長時間インタビューし、その人柄に惚れた、つまり洗脳されたことによる勇み足だと思える。元スパイ（プーチン）は、口八丁手八丁で人を踊らせるのも得意なはず。

したがって巷間で騒がれているように、アゾフ連隊が、ナチスのシンボルに似たデザインを採用しているからといって、民族主義（反ユダヤ主義も含まれる）の傾向があるとしても、ネオナチ（以下「ネオナチ」といった場合、ナチズムを信奉している反ユダヤ主義組織と定義する）というい方がよいのかどうかには疑問が残る（後述）。現在のアゾフ連隊には、ユダヤ人もアジア人も所属しており、もはや極右というよりも「反ロシア」で結束している組織といってよいだろう（*）。それに、そんな口実では、よその国に侵略し、民間人・兵隊（自国の兵隊も）を殺し、インフラを一〇三九億ドル（約一四兆円、キーウにある大学の試算、二〇二二年六月八日現在）も破壊する理由にならない。

そしてもうひとつ、アゾフ連隊のナチ・イメージのひとつが部隊旗に記されたシンボル。それは、ナチスが「ヴォルフザンゲル（wolfsangel＝狼の天使）」と呼んだ「N」と「I」を組み合わせたシンボルを反転したデザインに似ている（下、しかも背景には後述する、シュワルツェ・ゾンネが白抜きであしらわれている）。

ただし、このシンボルは、裏の意図がどこにあるかはわからないが、「ヴォルフザンゲル」とは関係がない。ウクライナ語の「国民（国家）の理想」（Ідея Нації＝Ideya Natsii）の頭文字「IとN」をデザインしただけだ。ローマン・アルファベットを使っているのは、ロシア軍の「Z」のところで述べたように、世界へのアピールである。

＊ただし、結成当初は、差別主義者を中心としたならず者集団という印象が強かったともいわれている。ヨーロッパの差別主義は、白人至上主義というよりも基本的に反ユダヤ主義。

マイダン革命（2014年2月）の夏から翌年まで使われたアゾフ連隊のエンブレム。

マイダン革命のあと、ネオナチとの批判があったのかどうかわからないが、約一年半使っていた部隊旗のデザインを変えマークを四五度傾けた。「ヴォルフザンゲル」にあまりみえなくする工夫だろうか（下右）。

アゾフ連隊が腕章をつける場合は、黄色地にこのしるしをつけている。黄色地はもちろんウクライナ・カラー。

ナチスの「ヴォルフザンゲル」

「ヴォルフザンゲル」は、キリスト教以前の時代、狼の罠（下左）の形を狼撃退のためのシンボルとしていた。一五世紀には自由と独立を求める農民のシンボルとなったこともあるらしい（ロビン・ラムスデン『ナチス親衛隊ＳＳ　軍装ハンドブック』）。

ナチスでは武装親衛隊のいくつかがこの「ヴォルフザンゲル」を斜めや横倒しなどにアレンジして使っている。

そのひとつ、もともと警察組織から兵団となった第四ＳＳ警察装甲擲弾《てきだん》兵師団のシンボルは、「ヴォルフザンゲル」を左右反転して九〇度横倒ししたもの（左頁下右）。前述したように、アゾフ連隊のシンボルの横倒しに似ていて、ロシア軍の「Ｚ」にもみえる。アゾフ連隊がプーチン大統領がいうようにネオナチだとして、ロシア軍が侵略ばかりでなく虐殺に手を染めてナチ化していることを踏まえれば、ネオナチの同士討

新しいアゾフ連隊旗。

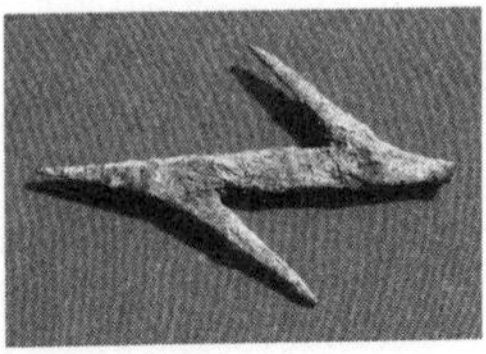
8世紀ごろの狼の罠。

ちという皮肉になる。

ふたつ目の、装甲擲弾兵師団フェルトヘルンハレは、「ヴォルフザンゲル」の九〇度回転（下中）。多くが元突撃隊員で構成されていた。

同じデザインは、一九三一年から第二次世界大戦終戦まで、ドイツ占領下ではオランダ唯一の政党として活動したオランダ国家社会主義運動（NSB）でも使われていた（下左）。戦後、党員のほとんどは逮捕されたが、有罪となったのは創設者など数名のみ。

最凶の「ヴォルフザンゲル」

最後は最悪の組織ふたつ。ひとつは、第二SS装甲師団ダス・ライヒ（上、アゾフ連隊のシンボルを左右反転した形にかなり似ている）。ルーン文字では「人狼」を意味するが、フランスでの民間人の虐殺に関与するなど、次に述べる「ベェーアヴォルフ（オオカミ男）」と双璧をなす残虐さで知られている。

そのベェーアヴォルフは、「人狼部隊」と呼ばれ、ヴォルフザンゲルを掲げるナチの組織のなかでも最悪で最凶だ（次頁）。

第二SS装甲師団ダス・ライヒのシンボル。

オランダ国家社会主義運動のしるし。この「国家社会主義」という党名もナチスに倣っている。

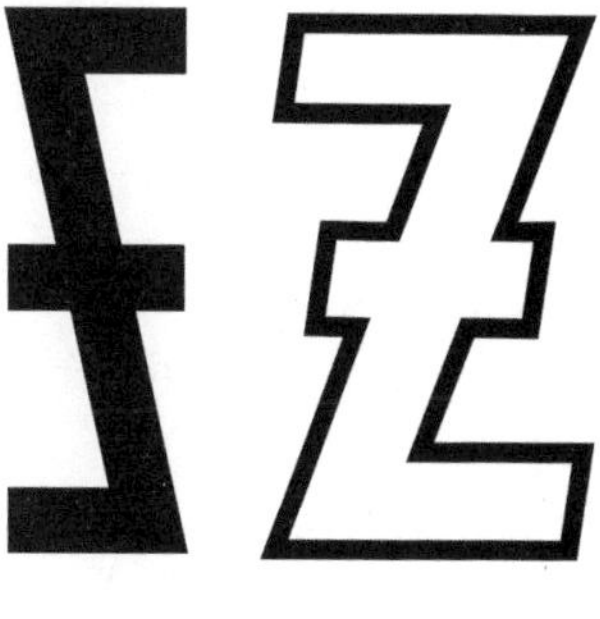

右）第四SS警察装甲擲弾兵師団のシンボル。
左）装甲擲弾兵師団「フェルトヘルンハレ」のシンボル。

人狼部隊は前線ではなく、敵陣営の後方撹乱、ゲリラにたいする対処などを目的とした特殊（虐殺）部隊。もう少し詳しくいえば、味方や自国民のなかの戦争終結に向けたサボタージュや反戦活動を阻止するため、あるいは、死ぬまで戦えという命令にしたがわない者を処刑する殺人部隊だ。

人狼部隊の住民への警告ビラにはこのヴォルフザンゲルの印とともに、「白旗を掲げるな、われわれの報復は死だ」と告げる。降伏しないで戦うか、戦闘を拒否して殺されるか。そして、死亡通知の年月日のところにもこの印がつけられた。まさにヴォルフザンゲルは、「死」のシンボルとなった。

「プーチンの戦争」に投入されたという民間軍事会社「ワグネル」の一部にもベェーアヴォルフに似たネオナチと称される過激で残虐なグループがいる。やはり、「プーチンの戦争」は、ネオナチをもってウクライナのネオナチを「非ナチ化」するという、大いに矛盾に満ちた侵略であることはたしかだ。

ともかく、カギ十字がもともと幸運のシンボルであり、ナチ親衛隊

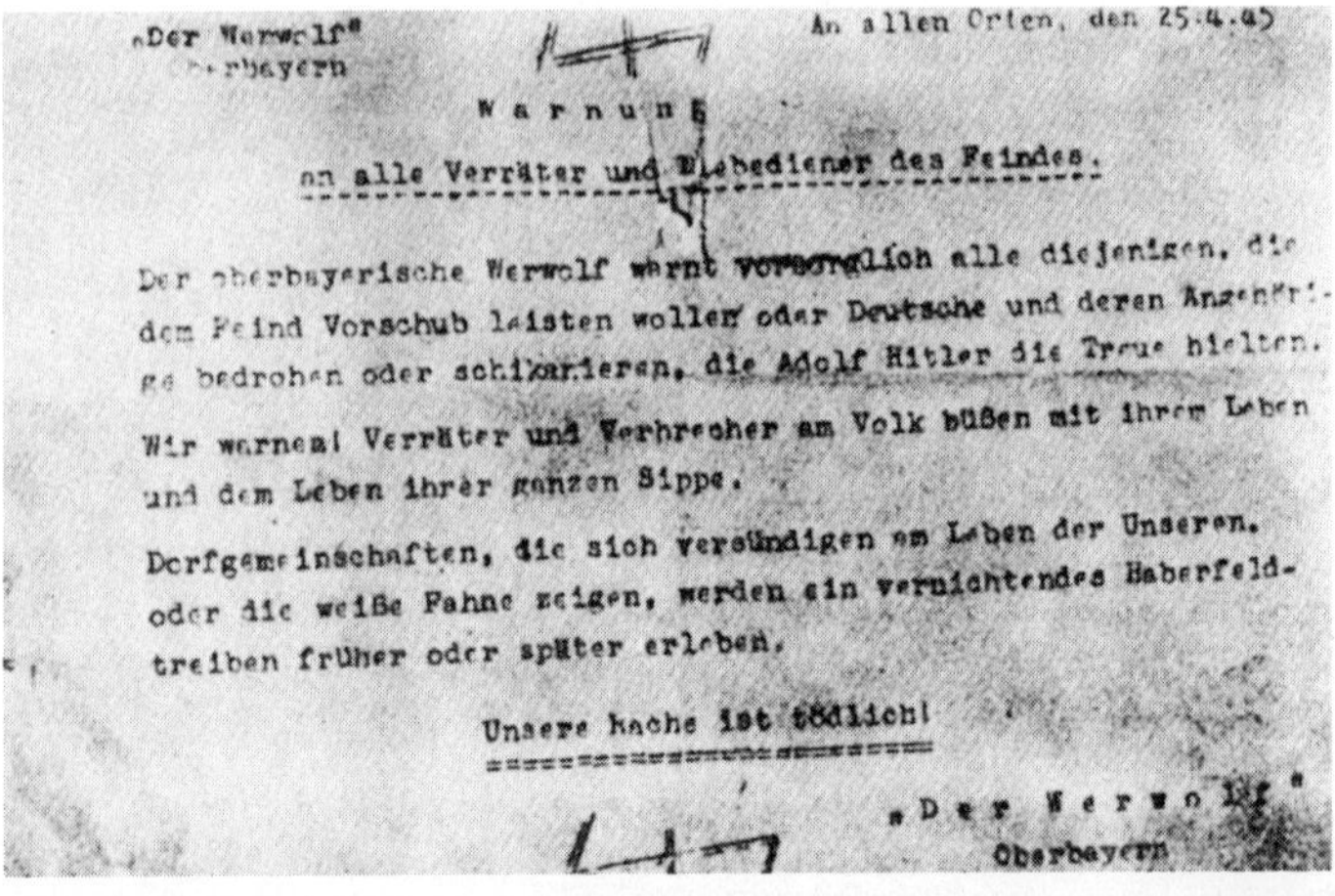

„Der Werwolf"
Oberbayern

An allen Orten, den 25.4.45

W a r n u n g

an alle Verräter und Liebediener des Feindes.

Der oberbayerische Werwolf warnt vorsorglich alle diejenigen, die dem Feind Vorschub leisten wollen oder Deutsche und deren Angehörige bedrohen oder schikanieren, die Adolf Hitler die Treue hielten.

Wir warnen! Verräter und Verbrecher am Volk büßen mit ihrem Leben und dem Leben ihrer ganzen Sippe.

Dorfgemeinschaften, die sich versündigen am Leben der Unseren, oder die weiße Fahne zeigen, werden ein vernichtendes Haberfeldtreiben früher oder später erleben.

Unsere Rache ist tödlich!

„Der Werwolf"
Oberbayern

上）ベェーアヴォルフのシンボル。
下）ドイツのオーバーバイエルンにおける人狼部隊の住民にたいする警告ビラ。上下に人狼部隊のシンボルが置かれている。

のドクロ・マークが死ぬまで忠誠を誓うしるしだったことを思えば、最終的には邪悪なシンボルとされたが、もともとは、自由と独立を求めたシンボルだったから組織のマークに使ったのだろう。

ちなみに、オランダ義勇兵部隊、第三四SS義勇擲弾兵師団もベェーアヴォルフと同じシンボルを使っている（下）。ダス・ライヒやベェーアヴォルフほどではないが、この師団も虐殺に関与していた。

ここで、「ネオナチ」に関してひとつの謎がある。ナチスはユダヤ人とともにスラブ人も差別した。ゲッベルスはソ連兵（スラヴ人）のことを「畜生類の寄せ集め」（マルセル・リュビー『ナチ強制・絶滅収容所』）と蔑んだとされる。

たとえば、捕虜はハーグ陸戦条約で過度に労働させることは禁じられているが、スラブ人のソ連兵はこの条約外だと勝手に判断して重労働をさせた（イタリア兵も先に負けた裏切り者として差別された）。挙句の果てに処刑・餓死させられたソ連兵捕虜の数は三〇〇万人（ソ連兵捕虜の半分強）といわれている。

また、捕虜収容所でも、ソ連兵が鍋をかき回すのに使ったスプーンはほかのどの鍋にも使ってはならなかった（リン・H・ニコラス『ナチズムに囚われた子どもたち』）。それほどナチスに差別されていたのに、なぜ？　ネオナチのユダヤ人ということと同じく、ネオナチのスラブ人だなんて悪い冗談としか思えない。

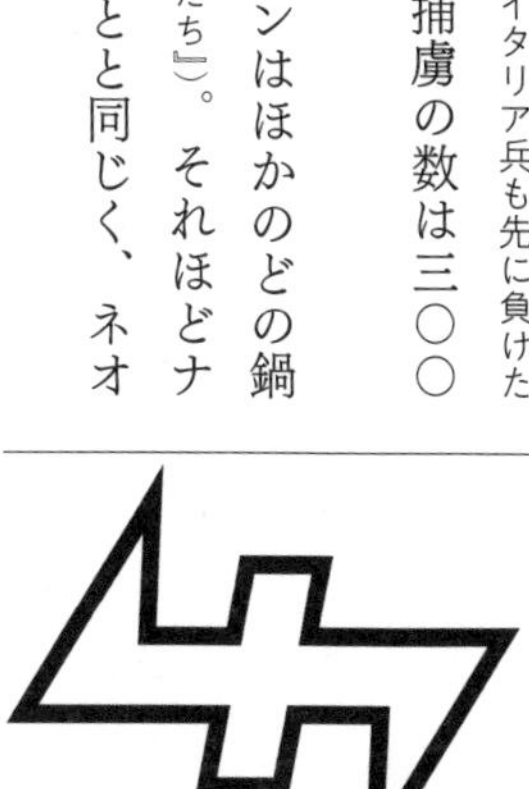

第三四SS義勇擲弾兵師団のシンボル。

アゾフ連隊の「シュワルツェ・ゾンネ」

もうひとつ、アゾフ連隊が使っているシンボルに「シュワルツェ・ゾンネ（Schwarze Sonne＝黒い太陽）」がある（左頁）。前述した、アゾフ連隊エンブレムの背景の図だ。

オカルトに心酔していたナチＳＳ長官ハインリヒ・ヒムラーは、オカルト実践の場として、ドイツ中西部のヴェーヴェルスブルク（Wewelsburg）城をタダ同然で借り受け、強制収容所の被収容者による奴隷労働で改装し、親衛隊員の聖なる場所とした。親衛隊幹部は、この城で虐殺することや死も厭わない聖戦への誓いを立てさせられた。

その宣誓式などが行われたのが「親衛隊大将の間」という円形の部屋。その中央の床に巨大な「シュワルツェ・ゾンネ」が描かれている。

大小ふたつの円のなかに、カギ十字を三個三〇度ずつ回転させ、カギ部分を外周円まで伸ばして作図できる。いわば回転しているハーケンクロイツの残像をそのまま定着させた形。もともとハーケンクロイツには回転イメージがある。回転で生じる「めまい」をそのまま形にしたという、ハーケンクロイツの本質をそのまま図化したデザインともいえる。

ともかく、ここまでナチ的イメージが重なると、アゾフ連隊はネオナチという風評が流れても仕方ないだろう。ただし、プーチン大統領が戦争を仕掛ける口実としての

シュワルツェ・ゾンネ(左)と、
親衛隊大将の間の床に描かれたシュワルツェ・ゾンネ。

根拠は弱い。アゾフ連隊は、対親ロシア派、ロシア軍への強力な防衛軍であることはたしかでウクライナではヒーローだ。ストーン監督が煽ったネオナチの脅威が、「プーチンの戦争」後のウクライナの政権を揺るがすほどとは思えない。それに、「プーチンの戦争」で健闘してきたアゾフ連隊はかなりの死傷者をだし、壊滅の危機にある。

余談だが、「シュワルツェ・ゾンネ」のデザインの延長線上にマンホールの蓋のデザインがあるようにみえる（下）。

「14/88」の符牒？

ウクライナのネオナチ、白人至上主義者たちの間で知られる数字があるとルポライターの清義明さんはいう（「ウクライナには『ネオナチ』という象がいる」『WEB RONZA』）。かれらはそれをタトゥーなどで意思表示していると。かつての迫害されていたキリスト教徒が仲間内に通じる符牒を決めたように、「ヒトラー万歳（ハイル・ヒトラー）」に通じる数字「14/88」である。それが本当なら、信奉者以外だれも意味不明だろう。符牒とはそういうものだが……。清さんによると、そのなかには「14/88」をタトゥーにしている男たちや、「14/88」の「14」を使った「C14」というグループもあるらしい。「14」は、「We must secure the existence of our people and a future for white children.（われ

マンホールの蓋。

われは、（白人という）われわれの存在と、白人の子どもの未来を守らなければならない）」の14語で語られたスローガンのことのようだ。「88」は、「Ｈ」がアルファベットの八番目だから、「ＨＨ＝Heil Hitler”（ヒトラー万歳）」の略としている。

　ユダヤ神秘主義の「カバラ」には、文字をさまざまな仕方で分解して、神秘的な意味をみつけだす方法がある。この数字に込めた意味合いもほとんどカバラ的方法だ。ただし、この符牒は、英語でできている（「ＨＨ」はドイツ語だが）。英語圏でのみ通用しそうな符牒だ。キリル語で考えると、まったく無意味なメッセージになってしまう（ロシア語・ウクライナ語共に、グーグル翻訳では一一語、ドイツ語は一三語）。英語圏ではないウクライナのネオナチがタトゥーに入れているというが、疑問が残る。かれらは自民族（白人）優越主義のはずだから「ＨＨ＝88」のドイツ語は仕方ないとして、英語ではなく、ウクライナ語（ロシア語）を使った「11/88」だと数字の並びとしてもよさそうだ（余計なお世話だが）。

ヒトラーの「ハーケンクロイツ」

　ネオナチ・グループが信奉する最大のシンボルは、ナチスのカギ十字（以下「ハーケンクロイツ」）だろう。

　ハーケンクロイツは、アジア圏の仏教寺院などでも使われている卍を左右反転した

上）ヴェルナー・マルヒ設計のベルリン・オリンピックのために建設されたオリンピック・スタジアムの入り口の右側の柱につけられたゾーネンラート。
下右）コペンハーゲンのゲルマンSS支部シャールブルグ本部の旗。北欧系義勇兵の襟章にも使われている。
下左）ドイツ・ルーン優秀章。

もの。ヨーロッパ圏でも古くから幸運の印として用いられていた。一九世紀末からヒトラーが台頭する二〇世紀前半までの神秘主義的民族主義集団のなかで、神秘的で幸運の印として人気の形だった。

ナチスのハーケンクロイツは、クリエイティブ・ディレクターとしてのヒトラーのイメージに沿うことを前提にナチ党員から公募し、入選案にヒトラーが手心を加えて完成した。

初期案は、のちに「ゾーネンラート（Sonnenrad＝太陽車輪）」と呼ばれた、ハーケンクロイツのカギ部分が円に沿ってカーヴしている形。一九三六年のベルリン・オリンピック・スタジアムの正面に立てられた列柱や、北欧の親衛隊員に贈られる「ドイツ・ルーン優秀賞（親衛隊スポーツ賞）」のメダルなどにも使われている（右頁）。

ナチスのハーケンクロイツの最大のデザイン的功績は、ハーケンクロイツを四五度傾けて、赤地のなかの白い円に黒で収めたこと（下）。傾けることで回転が生じる。ハーケンクロイツを傾けないでそのまま並べたら地紋のようで動きを感じないが、傾けることで回転を得て、躍動感とともに、すでに触れた「めまい」もやってくる。

ナチズムに「めまい」は欠かせない。隙間なく垂らされる赤いバナー（次頁上）、軍隊の足を振り上げるグース・ステップによるロボットのような機械的行進（次頁下）、映画『スター・ウォーズ』（ジョージ・ルーカス監督、一九七七）のように埋め尽くされるロボッ

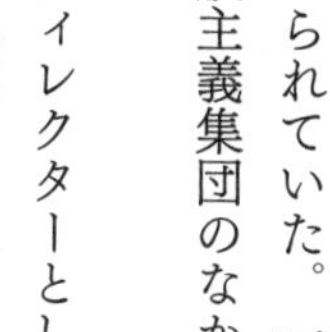

赤地のなかの白い円に収められたハーケンクロイツ。

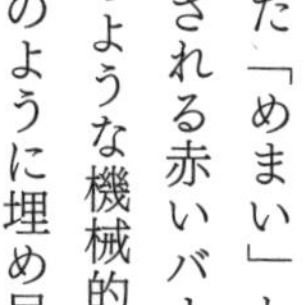

ナチスが余暇までも管理するためにつくったリクリエーション支援組織「歓喜力行団」のシンボルマーク。回転するハーケンクロイツを形にしている。

上）ベルリン・オリンピック開会式で林立するナチスのバナーの壁の間を走る聖火ランナー、1936。

下）チェコスロバキア、プラハに入ってきたナチス・ドイツ軍、1939。

左頁
上）1936年9月の第8回ナチ党大会での兵士たち。ハーケンクロイツのバナーがシンボリックに立てられている。

下右）ヒトラーが首相就任した最初の演説での指さし、1933.2.10。

下左）映画『意志の勝利』（レニ・リーフェンシュタール監督、1935）より、第6回ナチ党大会での「ハイル・ヒトラー」の大合唱とともに波打つ敬礼。

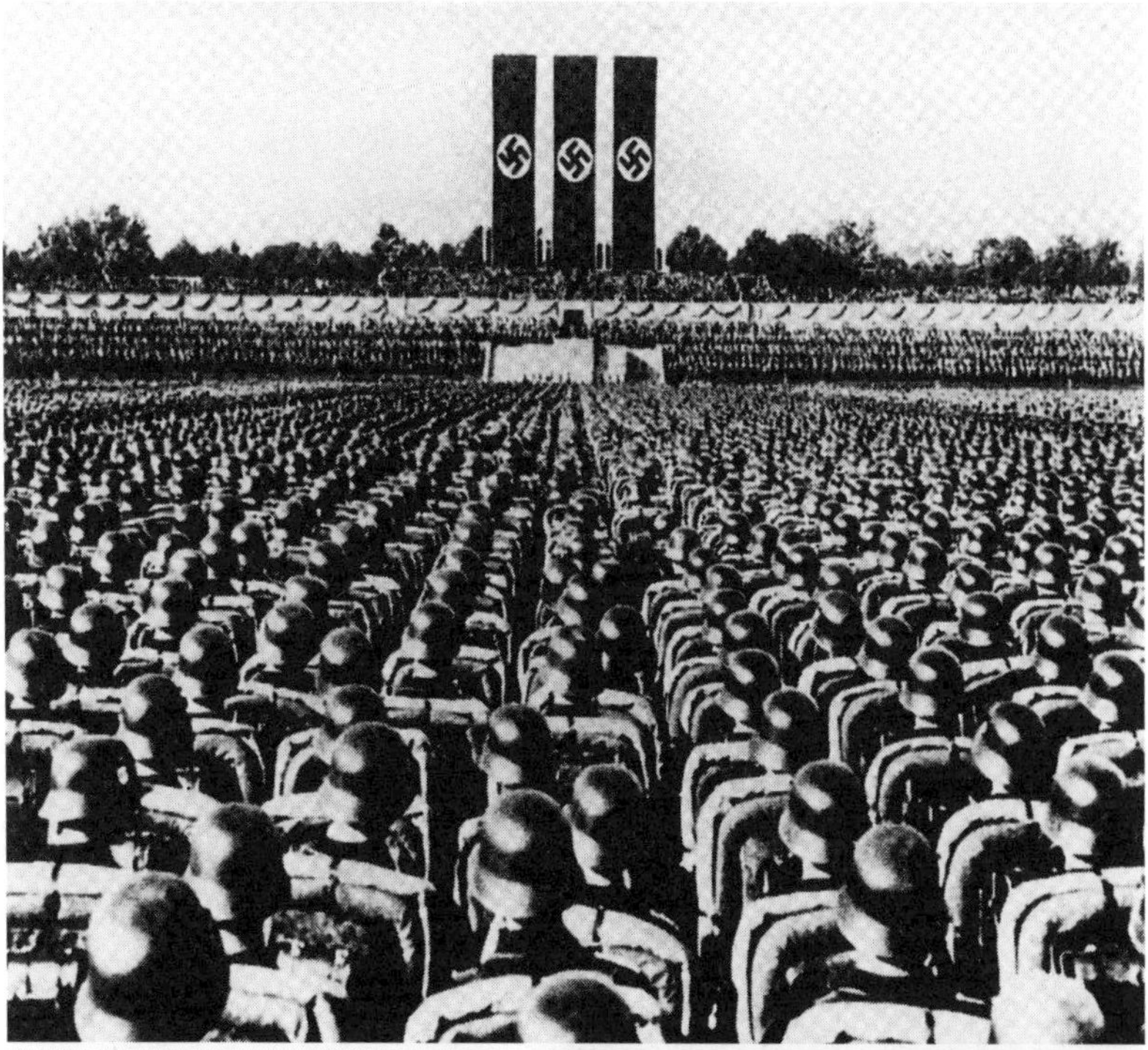

上）144本の列柱が連なる、シュペーア設計のツェッペリン広場、1934～36。今は残っていない。
下）1937年の第9回ナチ党大会のフィナーレを飾る光のショー「光の大伽藍」。

ト兵士（121頁上）、ハイ・テンションのヒトラーの演説（121頁下右）、観衆が全員参加するナチス式敬礼の嵐と「ハイル・ヒトラー！」のかけ声の連呼（121頁下左）、ヒトラーの建築家、アルベルト・シュペーアが設計したナチ党大会会場のえんえんと続く列柱（右頁上）、同じくシュペーアが演出した党大会のエンディング（ベルリン・オリンピックの閉会式でも行われた）の、天空に放たれた一三〇本のサーチライトによる「光の大伽藍」（右頁下）、マスゲームなど、めまいによる思考停止を誘うイベントの嵐のなかで四五度に傾いたハーケンクロイツはその象徴のようにみえる。

ただ単に赤地の上にハーケンクロイツを置くだけなら、日本の神社をみても感じる通り、象徴性は弱い。円に収めることで家紋のようになり、単なる記号がシンボルとして自立し、ブランド力、象徴力が高まる（ハーケンクロイツとまったく同じデザインの家紋は「石持地抜き隅立五つ割り右卍」という）。

ちなみに黒・白・赤の配色は、一八七一年にドイツが統一されたときの第二帝国の国旗の横三色ストライプの色（上から黒・白・赤）。ナチス政権は、第二に続く帝国として第三帝国を標榜した。

このハーケンクロイツによるブランド化戦略は、政権を獲る前から旗・腕章に使用され、政権を獲ってからは、バナー、バッジ、はては文房具などの小物までと、ドイツ全土を津波のように襲った。ナチスの反対勢力は、ナチスを揶揄するためにハーケンクロイツを使った（下）。それは逆に、皮肉にもハーケンクロイツの力を認める結果となった。

当初ナチスは、単なる極右の暴力集団だったが、ヒトラーはドイツを救う救世主、という執拗なプロパガンダによって、ドイツ国民とドイツ周辺のドイツ系の人びとに、ハーケンクロイツを幸運の、解放の印と錯覚させた。

ところが、政権を奪取すると牙を剝いた。さまざまなディシプリン（監視などによって従順な人間をつくりだすための規律）を駆使しはじめた。あまつさえ、ハーケンクロイツの旗のもと、自国のみならず、周辺国も巻き込んで、残虐の限りを尽くした。こうしてハーケンクロイツは、まさに悪のシンボル、悪を示すピクトグラムとなった。

「クロイツ」隠し

戦後欧米では、ハーケンクロイツを、ヨーロッパをめちゃくちゃにした悪夢・悪魔のシンボルとして、「ハーケンクロイツ」の呼称とともにマークの使用を禁止した。悪のシンボルなど二度とみたくないし、このシンボルを聖化する組織・人が二度と

1930年のドイツ総選挙のときの共産党ポスター。急成長したナチス党にたいして、ハーケンクロイツの回転を止めようとしている。

あらわれないために。

しかし、ナチズム経験者による旧ナチが生物的に死滅すると、ナチズム未経験のネオナチが擡頭《たいとう》する。ホロコーストを含むナチス映画や、ナチズムのような悪の組織が登場するドラマが描かれる限り、ナチスの悪の記憶は変形しながらも続いてゆくだろう。

いや現実に、ＩＳやタリバンはもちろん、「プーチンの戦争」のロシア軍の残虐さはまさにナチスだ。しかも、ウクライナのロシア支配地域に「選別センター」を設置したという。住民が「親ロシア」か「反ロシア」かを問うところで「反ロシア」ということになったら、どんな運命が待ちうけているかわからない。ユダヤ人か否か、働けるか否かで選別したナチスが思い起こされる。

ドイツ語の「ハーケンクロイツ」は、「ハーケン（カギ）」と「クロイツ（十字）」が組み合わさってできている。その「十字」がキリスト教徒にとっては大問題。卐は、十字形が回転してできる残像（カギ部分）をデザインしたものだから、どうしても十字とは切り離せない。

しかし、「十字」を神聖視するキリスト教は、悪魔の記号となったハーケンクロイツと十字の関連をどうしても切り離したい。「ハーケンクロイツ」と呼べば、いやが応でもキリスト教と関係があるかのように思われかねない。そこでハーケンクロイツの呼称を禁止し、代わりに、もともとの卍のサンスクリット語の呼称「スヴァスティカ」を採用した。「十字（クロイツ）隠し」である（中垣顕實『卍とハーケンクロイツ』）。

しかしこれは、重大な過誤だった。「ナチス・シンボル」とでもしておくのが一番無難だったが、「スヴァスティカ」と呼ぶことによって、アジア圏の卍と残念ながら同一のイメージにされてしまった。

このことで、ヨーロッパにある少林寺拳法道場などの卍マークなどがナチスのシンボルだとして非難され、デザインを変えざるをえなくなり、現在の「双円（ソーエン）」マークとなった（下）。

ルーン文字とナチス

ナチス・ドイツは記号の帝国と呼ばれるほど、ハーケンクロイツをはじめとして、さまざまなシンボルを多用した。すでに触れた、ヴォルフザンゲル、シュワルツェ・ゾンネ、ゾーネンラートもそうだが、基本的に、ゲルマン諸語の表記に使われた古《いにしえ》のルーン文字を借用して、ナチス・ドイツの各組織のシンボル・マークとした。

悪名高いナチス親衛隊のマークは、親衛隊の頭文字「SS」の表記に、ルーン文字の「S」を使い、ドイツ語の「Sieg（ジーク＝勝利）」の「S」とかけている（左頁上）。

ほかに、ルーン文字「T」を使った、ヒトラー・ユーゲントのなかの体力的にすぐ

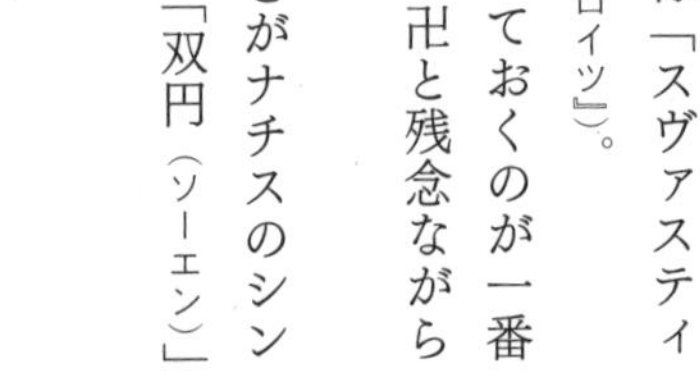

右）問題となった旧少林寺拳法マーク。
トレース：金丸未波
左）新少林寺拳法ソーエンマーク。

れた隊員に与える「ヒトラー・ユーゲント優秀賞」のシンボル（中上）。ルーン文字「O」は、人種的純粋さを追求した親衛隊人種及び移住本部のシンボル（中下）。ルーン文字「Z」は、「生命の泉（レーベンスボルン）」のシンボル（下）。「生命の泉」は、金髪碧眼のゲルマン民族をつくるべく、金髪碧眼の親衛隊員に子づくりさせたり、占領国から金髪碧眼の子どもを誘拐して育てたりしようとした国家ぐるみの犯罪組織だ。ルーン文字はナチス登場よりも千数百年も前のもので、これまでしばしば装飾用として使われてきた。それをナチスがハーケンクロイツのときと同じように借りて使い倒し、悪評が広まった。

　スウェーデンでは、ハーケンクロイツと同様、ルーン文字もナチスを想起させるとして使用禁止の可否が論じられている。ただし、ルーン文字は、ナチスのシンボルと

上から、ナチス親衛隊の頭文字「SS」をルーン文字であらわしたシンボルマーク。ヒトラー・ユーゲント優秀章のメダル「ティール・ルーン」。「親衛隊人種及び移住本部」シンボルマーク「オーダル・ルーン」。レーベンスボルンのシンボルマーク。

1〜2世紀の24文字のルーン文字。

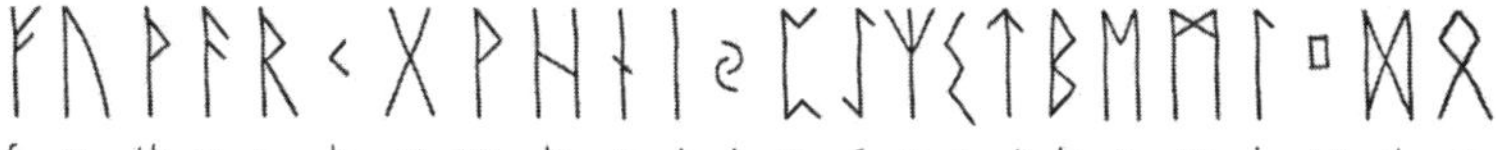

いうよりも、ヴァイキング文化とも切り離せない歴史的なものだとする反論も多く、禁止したら歴史の記憶が消える、と危惧されている。

ちなみに、デジタル機器用の近距離無線通信規格「ブルートゥース」のマークは、「H」と「B」のルーン文字を組み合わせたデザイン（下）。「ブルートゥース」の名が、ヴァイキング時代のデンマークの王「ハーラル・ブルートゥース」からきているので、その頭文字を使ったのだった。だからといってそこにナチスの影を感じる人は少ないだろう。

ヒトラーのシンボルの戦争

シンボル記号を偏愛するナチスのなかでも、ナチスがつくったものではないが、ハーケンクロイツと双璧をなすほどナチスにとって重要なシンボルがある。それは、ユダヤ民族のシンボル、六芒星の形をした「ダビデの星」（下）。

ヒトラーがナチ党の党首になって以来、ナチス帝国が崩壊するまで、ヒトラーは、「ダビデの星」に象徴されるユダヤ人絶滅の妄執に取り憑かれていた。まさに「ハーケンクロイツ」による「ダビデの星」への迫害である。「シンボルの戦争」といってもよいだろう。いや、ヒトラー側の一方的な敵視政策によるダビデの星への侵略行為だ。そして「ダビデの星」は、ユダヤ人を貶めるためのシンボルとしてヒトラー・ナ

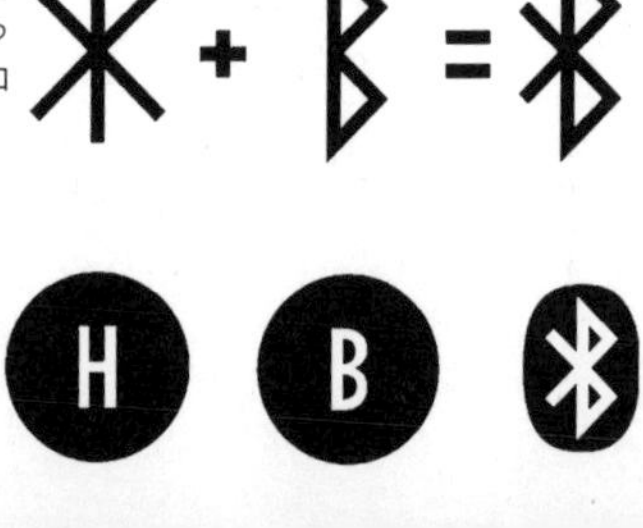

ルーン文字「H」と「B」が組み合わさって「Bluetooth」のロゴマークができた。

ダビデの星。

チスによって最大限利用された。

ダビデの星がユダヤ人全体のシンボルとなったのは一七世紀はじめ。その後、一八世紀末から一九世紀にかけてユダヤ人のなかで民族としての意識化が進み、一九世紀末のシオニズム運動（ユダヤ人国家建設運動）で完全に盛り上がった。

一説では、一六二七年、神聖ローマ帝国のフェルディナント二世がプラハのユダヤ人社会に「ダビデの星」をシンボルとするのを許可し、ほかのユダヤ人社会のなかでも広まった。ユダヤ人社会は、自立するために、キリスト教の「十字」に対抗できるような強力なシンボルを求めていたのだった。

この最初に許可されたシンボルの下には、ラテン語で「ダビデの楯」と記された。これ以降「ダビデの星」は、古代イスラエル王ダビデを守った盾につけられていた紋章という意味になった。

そして一九世紀末、激しい反ユダヤ主義に抗するために、前述のシオニズム運動をはじめた。そこでダビデの星が心の支えとなった。

六芒星は、卍じるしもそうだが、世界中で魔除けなどに使われてきたきわめてポピュラーなしるし。日本でも古くから家紋で使われている。食品メーカー、カゴメも一九一七年から八三年まで使っている（次頁）。もちろん、ユダヤ人とは無関係。社名の「カゴメ」は、「籠目」で、もともと六角形のこと、六芒星になるのは自然だ（下）。

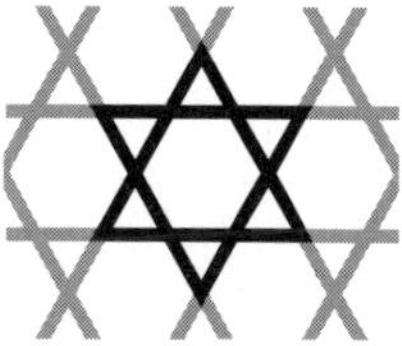

籠目と六芒星の関係図。

ちなみにヒトラーは、ずっと「シンボルの戦争」を戦ってきた。ナチ党は、ユダヤ人のしるし「ダビデの星」を罵ることで知名度をあげたが、ナチスが政権を奪取するまでの力をつけた数年間の選挙戦は、敵対勢力のシンボルとの戦いである。ナチ党の「ハーケンクロイツ」、カトリック系の中央党の「十字」、共産党のソ連と

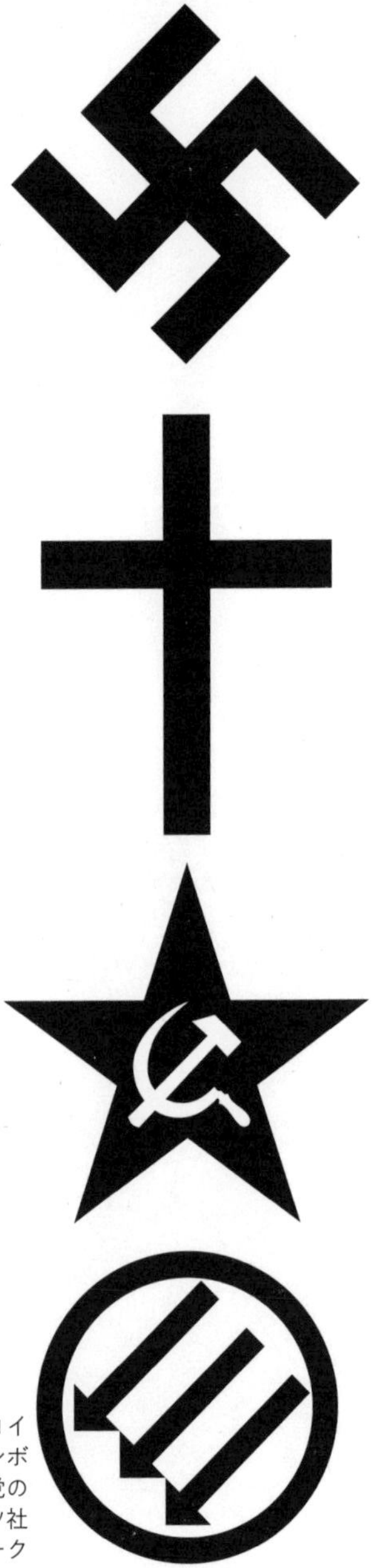

上から、ハーケンクロイツ、ドイツ中央党のシンボルマーク、ドイツ共産党のシンボルマーク、ドイツ社会民主党のシンボルマーク

カゴメのマークの変遷

蟹江家の家紋。

家紋にあった丸を星に変えた、1910。

星と六芒星をつくったが、当時の陸軍から許可が下りなかった。

陸軍から許可が下りたシンボルマーク、1917。

こののち、社名が欧文で、シンボルマークが小さくあしらわれるようになり(1963)、1983年にとうとう欧文のみとなってシンボルマークは消えた。

同じ「ハンマーと鎌」、社会民主党の、ほかの三つの党をやっつける、という意味での「三本の矢」。これらが四つ巴の戦いを演じた。

ただし、「三本の矢」は、他党を倒す意図しか持っていないので、もし社会民主党が政権党になったら不必要になる選挙戦略のためだけのシンボルだった（下）。

社会民主党の1932年の選挙ポスター。「パーペン、ヒトラー、テールマンにたいして」とある。パーペンは中央党党首、ヒトラーはもちろんナチ党党首、テールマンは共産党党首。

迫害のシンボル「ダビデの星」

ナチスは政権を奪取すると同時にユダヤ人の迫害をはじめた。凶悪ストーカーのようにユダヤ人を追いかけた。ユダヤ人経営の店・デパートなどのショーウインドウには、「ユダヤ人の店だから物を買うな」という脅しの文言とともに、「ダビデの星」が突撃隊によってペンキで落書きされた（次頁）。ユダヤ人の腕や胸にダビデの星のついた腕章やワッペンの着用を強制した。トレブリンカだったと思うが、絶滅収容所の、ガス室のある建物の上部にダビデの星が飾られていたというのをドキュメンタリーで観たことがある。もちろん被害者たちを躊躇なく死地に赴かせるための偽装だ。

こうしたことから、誤解を恐れずにいえば、ダビデの星は、ハーケンクロイツとともに、迫害のシンボルである。ダビデの星によってユダヤ人と特定され、ユダヤ人は、個々の名前ではなく、数字とダビデの星に収斂させられた。ナチスは、ダビデの星もろともにユダヤ人の消滅を図ったのだった。とはいえ、腕章やワッペンがなければユダヤ人を判別することが難しかったともいえる。

ナチス政権誕生とともに、ハーケンクロイツも含めた、さまざまなナチ党関連のバッジがつくられた。ヒトラー・ユーゲントやドイツ少女団にも入団を証明するバッジがあった。そして入団が義務づけられた。ただし、ユダヤ人は入団不可。バッジの着用一切が禁止された。したがって、学校でもバッジをつけているか否かでユダヤ人かどうかがすぐ判別できた。やはりみた目では判断が難しかったようだ。

だから、ゲットーや強制収容所から逃亡する

フランクフルトのユダヤ人商店のショーウインドーにダビデの星とともに「薄汚いユダヤ人」「豚野郎」などと落書きされている、1933。

ユダヤ人は、ユダヤ人とばれないためにダビデの星の腕章・ワッペンを捨てた。

ただし、キリスト教徒とユダヤ教徒の男性を大きく分けたのは割礼（ペニスの包皮の削除手術）の有無。ユダヤ教では、男子はすべて幼児期に割礼しなければならなかった。だから外見では判らなかったとしても、下半身を露出させればユダヤ人か否かはすぐ判る。これが逃亡するユダヤ人にとって最大のネックとなった。

ともかく、ユダヤ人はダビデの星のもとに迫害され続けた。もし生き残ったらこのダビデの星とは無縁でいたい、二度とみたくないと思わなかったのだろうか。

ドイツでナチスに迫害されたユダヤ人たちは、迫害を告知する酷薄な張り紙に日々精神を擦り減らした。その告知文に使われていた書体が、ドイツ特有の角ばって装飾的なブラックレター体。一九四一年までブラックレター体はナチスの公用書体だった。だから、迫害から逃げ延びたユダヤ人はブラックレター体を二度とみたくなかったに違いない。

同じことは、さんざん迫害に利用されたダビデの星についてもいえそうだが、ダビデの星は、ユダヤ人のために建国された国イスラエルの国旗にも採用された。苦難をともにした印、という位置づけだろうか。

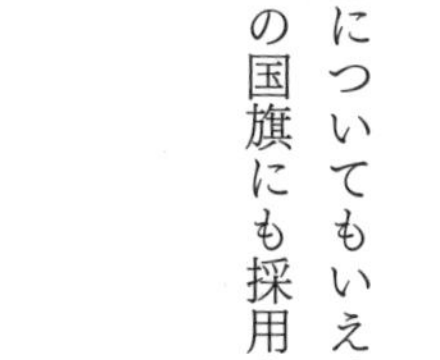

イスラエル国旗。

たったひとつのネガティブな腕章

ユダヤ人を特定するためのしるしが、そのダビデの星が黒で描かれた黄色い腕章（ワッペンの場合もある）である。「戦争と色」のところで触れている「赤い腕章」をつけていたのは、共産主義者、ナチ党員、紅衛兵、ロシア兵。ほかの色では、ムッソリーニのファシスト党員、ウクライナ兵、アゾフ連隊、親ロシア派の腕章など、どれをとっても、自らの存在の誇示としてつけた腕章で、積極的に着用したものだった。

このユダヤ人の黄色い（ポーランドのワルシャワ総督府のみ白地に青のダビデの星）腕章は、唯一、命じられてつけさせられたネガティブな腕章だ。いいかえれば、迫害を受けても仕方ない対象としてのしるしである。その歴史は古い。

一二一五年のキリスト教公会議で、主催者のイノケンティウス三世が、イエスを裏切った「キリスト殺し」のユダが着ていた服の色ということで、ユダヤ人はなんらかの黄色の布地を服につけなければならない、と命じた。とはいえ、イエ

ポーランドのウーチ・ゲットーの前。「ユダヤ人居住区につき立ち入り禁止」の看板と、ダビデの星の入った腕章をつけたユダヤ人収容者と、左側にナチスの腕章をつけたドイツ保安諜報部員がいる、1940。誇らしい腕章と屈辱的な腕章の対比されている。

スの時代の黄色の衣装は一般的で、イエス自身も着ていたと思われるが……。
　この公会議の少し前にイノケンティウス三世は、儀式に用いる典礼の色、白・赤・緑・紫（青）・黒の五色を決めている。黄色ははぶかれた。ユダが着ていた服の色というのは今でいう都市伝説・風評だが、黄色をはぶいたのは、イスラム帝国のカリフが八〇七年に制定した、「ユダヤ人は黄色の帯をしめ、高い円錐形の帽子をかぶるように義務づけた法律」（デニス・プレガー／ジョーゼフ・テルシュキン『ユダヤ人はなぜ迫害されたか』）を参考にしたと思われる。にっくきイスラム教の法律を援用することで、ユダヤ人をダブルに貶める意図だろう。

　この決議にしたがったヨーロッパ各国は、黄色い帽子をかぶせたり、ユダヤ人の家のドアを黄色く塗った。そして、ユダヤ人のみならず、処刑を待つ異端者の首に黄色い十字架をかけたり、社会的弱者としての娼婦に黄色のヴェールを着用させたりした。

　こうした、ユダヤ人とわかるしるしをつけさせてきたヨーロッパ社会の伝統をヒトラーも踏襲した。とくにユダヤ人のしるしとして、ユダヤ人がやっと手にしたアイデンティティとしてのダビデの星を、差別カラーとしての黄色地に描き込むことで、これもダブルに貶める戦略といえる。

　そして、一九四一年、ドイツ国内のすべてのユダヤ人に腕章着用が義務化され、四二年には、すべてのドイツ占領地域に拡大させた。

ナチス占領下のフランスで、ユダヤ人に黄色のワッペンの着用命令が下った一九四二年六月、はじめてこのワッペンをみた教員や生徒たちは衝撃を受け、反発した。ユダヤ人じゃなくても黄色の腕章に似たしるしをつけてくるようにと生徒に提言した先生もいた。ユダヤ人の女生徒がひとりいたため、全員が黄色のしるしをつけてきたクラスもあった。

黄色のしるしにはフランス語でユダヤ人「Juif（ジョイ）」と書かれている（下）が、その意味について、「Jeunesse（青年）、Universitaire（大学）、Intellecuelle（知識人）、Française（フランス語）」の略だと答えた大学生もいたという。

しかし、非ユダヤ人がユダヤ人のしるしをつけるという勇気ある行動は、多大なリスクをともなった（ニコラス、前掲書）。「まさか、そこまでやらないだろう」という予測をことごとく打ち破ってきたのがヒトラー、ナチスである（プーチン大統領もかれらのお仲間の資格が十分ある）。

ユダヤ人を示す「J」スタンプ

「ダビデの星」とともにユダヤ人を特定したものが、ユダヤ人のパスポートに押された「J」スタンプ。

まだナチス・ドイツによるユダヤ人絶滅政策がはじまる前の一九三八年、オースト

第二次世界大戦中のフランスのユダヤ人に着用を強制した「黄色い星」ワッペン。

リアのドイツへの帰属が決まると、大量のユダヤ人難民がスイスにやってきてしまう、とスイス政府は危惧した。

　オーストリアからスイスへの入国にはビザが必要だったが、ドイツ人はビザ不要。ドイツとなったオーストリアの難民は、当然ビザ不要のドイツのパスポートを持つ。ナチス・ドイツを嫌う難民がスイスに流入する。ユダヤ人も多く含まれているに違いない。これ以上、ユダヤ人がスイスにやってくることははなはだ迷惑。スイスにも表向きはともかく、底流には反ユダヤ主義が流れていた。

　スイス政府は、このままではドイツ人にもビザを義務づけざるをえない、ビザなしではスイスに入国できないことをドイツに通達する。ドイツはドイツで、スイスがビザ義務づけになると、ほかの国もスイスに倣ってビザが必要となることや、ユダヤ人とはっきりわかることでほかの国もユダヤ人難民を受け入れてくれなくなることを懸念する。ドイツからユダヤ人を追いだせなくなるから。

　最終的に、ドイツ側かスイス側かどちらが提案したのかは不明だが、一九三八年九月、ユダヤ人「Jude（独）」、「Juif（仏）」の頭文字「J」スタンプがパスポートに押されることとなった。ドイツのユダヤ人は、第三国にいくためスイスを経由するだけだったらよいが、そうでない場合は、入国許可証が必要となった。かくしてパスポートの「J」は、ユダヤ人にとって生死を分ける悪魔の印となった（次頁）。

赤で「J」のスタンプが押されたパスポート、1939。

しかし、戦争がはじまると、経由も含めてすべての外国人にビザが義務づけられ、不法入国者は国外追放となった。一九四二年八月、スイスは国境を封鎖し、不法入国した（ユダヤ人を含む）外国人を容赦なく本国に送り返すことを決定した。スイス側は、ナチス・ドイツのユダヤ人絶滅政策の情報を得ていたが、この強制送還政策は、一九四四年七月にユダヤ人を難民として受け入れざるをえなくなるまで続けた。

戦後のスイスでは、この「J」スタンプ導入、国境での難民の追放、戦争犯罪に値するナチ・ドイツとの金塊取引、ユダヤ人犠牲者の財産をほっておいた休眠口座問題などでホロコーストに加担したのではないか、と論議が持ち上がったが、決着はついていない。

また、ナチスは、一九四〇年にフランスを占領し、翌年、すべてのユダヤ人の個人書類に「J」のスタンプを押すことを義務づけた。

「★」じるしと軍隊

この章の最後は、歴史上きわめてポピュラーな「★」じるしについて。

戦争では「★」じるしが活躍する。国旗に記された星、軍用機や戦車のボディに描かれた星、軍人の軍帽、階級章の星など。旧ソ連の最高賞、赤星勲章（下）も赤い星のメダルである。「戦争と色」で触れたように、旧ソ連の機関紙も『赤い星』で、

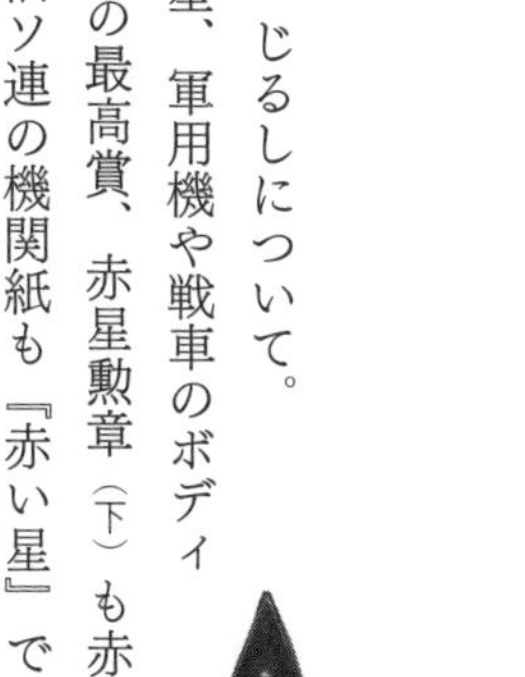

旧ソ連の赤星勲章。1930年創設、1991年終了。
390万人くらいが授与された。

旧ソ連は「赤い星」づくしとなった（下）。

旧ソ連の「赤い星」は、ロシア革命後の内戦で使われるようになった。組織の結束を高めるためにはシンボルが必要となる。そのシンボルには、シンボル性を高めるためにさまざまな意味が付加される。

この「赤い星」にも、星印が五つの頂点を持つところから、五つにまつわるものが総動員される。人体が両手両足を広げると星形になる、共産主義が世界を征服するイメージとして、オリンピック・マークのように世界の五大陸を示す、共産主義的な五つの集団（青年、兵士、産業労働者、農業労働者、インテリゲンチャ）をあらわす、など。しかし、おそらくは敵・味方の識別記号としてはじまったのだろう。これがのちに共産主義のシンボルとなるとはそのとき誰も思わなかったに違いない。

横道に逸れるが、「プーチンの戦争」でアメリカは、ウクライナに迅速な軍事支援を与えるために武器貸与法（Lend-Lease Acts）を成立させた。この武器貸与法は、第二次世界大戦のさなか、苦戦するイギリスからの武器の要請に迅速に応えるために、アメリカがまだ参戦していない一九四一年から終戦の四五年まで施行されたものと同じ法律。このとき独ソ戦がはじまっていたソ連は同盟国なので、武器貸与法にしたがって

1924年に創刊された『クラスナヤ・ズヴェズダ』紙の創刊50周年記念切手、1974。

アメリカの兵器がソ連に貸しだされた。アメリカの戦車や装甲車などの軍用車両には白い星がつけられていた。そこでソ連に貸しだすために、その星を赤く塗り直したという。

ナチス・ドイツ軍戦車の砲塔には、前述したように、軍用機と同じ鉄十字章をアレンジした形が記されていたが、この鉄十字章を東（ロシア軍の赤い★）西（アメリカ軍の白い☆）から紅白の「★と☆」で追い詰めるイメージとなった。

話を戻して、中国の赤地に黄色の星も共産主義なので「赤い星」の延長線上にある。この五つも社会的集団を意味するが、旧ソ連とは違って、中国共産党、労働者、農民、知識階級、愛国的資本家とされる（「戦争と色」参照）。

ベトナムも社会主義なので血の赤地に黄色い星のみ（下）。この「星」には、ステレオタイプだが、「労働者、農民、知識人、青年、兵士の団結」が込められている。

もともと星形は、一九世紀の欧米の一部の軍隊で階級章に使われていた。星形ではないが、軍功勲章には十字などとともに光り輝く放射光が使われていたので、これをよりシンプルにした星形が、軍功を讃えて得られる階級章に使われるようになるのは自然の成りゆきだ。

日本では、明治維新後の明治六年（一八七三）、正式に陸軍が発足し、フランス陸軍やアメリカ陸軍のスタイルなどを参考に軍服のルールを決めた。このとき星形を軍帽

ベトナム社会主義共和国の国旗。

や階級章に採用した（刺繍で）。軍帽にも階級章と同じ数の星がつけられた。

ちなみに、明治維新で欧米から「★」が「星」の意味でやってくるまで、日本の「星」は「●」の形だった。「★」は、平安時代の安倍晴明の「セイメイ印」のように呪術的しるしである（下）。

明治のはじめ、アメリカへの視察で星条旗をみた岩倉具視ら一行は、「条（ストライプ）」と「桜（★のこと）」と認識したという（荒俣宏『広告図像の伝説』）。

京都の晴明神社の提灯に印されたセイメイ印。

コラム「×」のマスク

1989年の天安門事件を語るのは、中国ではタブーだ。1982年に総書記に就任した胡耀邦は、改革開放による民主化路線をとったが、それが鄧小平の不興を買い失脚させられたことで、胡耀邦は民主化のシンボルとなった。

その胡耀邦が1989年に死去。かれの追悼集会が開かれ、これが民主化を求めるデモに発展した。中国当局はデモを武力で抑え、数百人が死んだ。人民解放軍は銃を水平撃ちしたのだった。これが天安門事件。

天安門事件は1989年6月4日に起きたので、6月4日の「64」が、民衆の間で「天安門事件」を示す秘密の符牒となったが、中国の検索エンジンで「64」を検索すると接続不能となる。そこで5月31日に4日加えた「5月35日」や、ローマ数字の「6」と「4」を並べた「VIIV」、64が8の2乗だから「8^2」などが「天安門事件」の隠語として使われるようになったが、これらも表示されなくなっているらしい。併せて、「今日」「広場」「民主」も規制の対象となっているという。それだけ神経質になるということは、民衆の怒りに火が点くことを恐れているからにほかならない。

その33年目である2022年6月4日、追悼集会が香港で開かれたが、マスクに「×」を描いて無言の抗議をした集会参加者が警察に拘束された、という報道があった。発言を禁じられていることへの、いわば、「しーっ」抗議（「戦争とことば」参照）である。

かつて中国文化大革命のとき、悪のレッテルを貼って吊し上げた被害者に紅衛兵は、罪状（もちろんいいがかりの冤罪）を記した三角帽子を被せ、首からプラカードをぶら下げさせたが、そこに「×」じるしもつけ加えた。「×」は、日本人が考える以上に中国人にとってはいやな印象らしい。草森紳一さんによると、「死刑囚の名前の上に書く記号」（草森紳一『中国文化大革命の大宣伝』）だという。深読みすれば、今回の天安門事件にたいする抗議活動では、その「×」を、言論封殺を図る警察とその背後の政権に向けた（封殺されはしたが）死刑宣告だったのではないだろうか。

戦争とことば 3

「選挙人リスト10　正義の鉄槌を」1928年5月の総選挙に向けたナチ党選挙ポスター。この選挙公示前のナチ党の議席数は10番目と政党のなかでも最下位で、6年後に政権を奪取するなんて夢の夢だった。

「ハエのように裏切り者を吐きだす」

二〇二二年二月、ロシアはウクライナに侵攻した。二〜三日で戦争は終わると考えていたプーチン大統領の蛮行は、予想されなかったウクライナの激しい抵抗を招き、戦争は長期化した。ウクライナ側の善戦は、ロシアによるクリミア半島併合以来、いずれロシアはまた侵略してくる、とシミュレーションと軍事訓練を繰り返してきたことと、欧米からの武器の支援による。

侵略が簡単にすまなくなった三月半ば、プーチン大統領は、「誰でも、とくにロシア人は、いつでも愛国者とくずの裏切り者の区別がつけられるし、うっかり口のなかに飛び込んでしまったハエのように裏切り者を吐きだすのだ」と発言した(＊)。「プーチンの戦争」が長期化し、マリウポリのウクライナ軍(民間人もいる)をロシア軍が包囲したとき、プーチン大統領は、「ハエ一匹でないように封鎖しろ」と命令した。普通は「アリ一匹」のような気がするが、プーチン大統領にとってのヘイト表現のボキャブラリーは「ハエ」につきるのかもしれない。

＊「プーチンの戦争」では、わずかな金でロシアに情報を提供するスパイがウクライナに輩出されるようになった。ウクライナでは、こうしたスパイをあぶりだすために「パン」を発音させることが呼びかけられたという(奈倉有里「プーチン支持の裏　沈黙と恐怖の増大　抗議を伝える意義」『朝日新聞』)。ウクライナ語のパンは「パリャヌィツャ」といい、ロシア語話者にとって発音しづらい単語のようだ。だからうまく発音できなかったらロシアのスパイということになる。これは冤罪を生みやすい危ない判別法でもあった。

1945年、日本の敗戦によって中国では、それまで休戦していた共産党軍と国民党軍との内戦がふたたびはじまった。国民党軍は共産党軍に苦戦し、行き場がなくなったことと、連合軍から台湾の日本軍の武装解除を頼まれたこともあって台湾に大挙して逃れてきた。国民党の軍と政府(外省《がいしょう》人という)は、日本軍と共産党軍との長い戦いに倦み、荒んでいた。虐げられた台湾人(本省《ほんしょう》人という)は1947年、国民党にたいして蜂起した(2.28事件)。本省人は、台湾語しかわからない。外省人は、台湾語もわかる。だから台湾語が喋れるからといって本省人とは限らない。そこで本省人かどうかを知る重要な符牒として、日本統治時代に覚えた日本語が浮上した。日本語で誰何することがはじまったのだった。追い詰められた本省人のアイデンティティがかつての統治者の言語だったという皮肉である。この蜂起は、結局、国民党による大弾圧を招き、その後40年にわたる国民党蒋介石の独裁政権のはじまりを告げる事件となった。映画『悲情城市』(侯孝賢監督、1989)がこのあたりを詳細に描いている。

ともかく、国家元首の発言とは思えない下品ないい回しに世界中は驚いた。まさに罵詈雑言を撒き散らしたヒトラー、そして、アメリカのトランプ前大統領など、何人かの独裁者・権力者の顔が浮かぶ。

「プーチンの戦争」ではほかに、ロシアの書記が、「われわれはいまウクライナで、欧米がつくった汚い馬小屋を掃除している」と発言。ウクライナの領土防衛隊のひとりを撃ち殺したあと、悲鳴をあげている目撃者の住民に向かって、ロシア軍司令官は「心配するな、これは汚物だ、われわれは、汚れを洗い流すためにきた」といい放った（ヒューマン・ライツ・ウォッチの公表）。さらに親ロシア派幹部が、マリウポリ製鉄所の地下にいるウクライナ軍にたいして「モグラを穴からいぶりだす」と述べ、そのために化学兵器の使用を匂わせるなど、いくつかの罵詈雑言が報道された。

このように、ヘイト表現は戦争での常套句であり、敵を人間以下の存在にたとえることは、残虐行為へのハードルをかなり低くさせる。

たとえば、アメリカ人による日本人へのヘイト表現は、安い賃金で働くので自分たちの仕事を脅かすところから「チープ・レイバー（安い労働力）」（中国人も含まれた）にはじまり、太平洋戦争では、サル、ドブネズミ、ヘビ、ゴキブリやヒトジラミ（次頁上）などの害虫を総動員し、（幼稚な）子どもという上から目線もあった（次頁下）。恐怖感を含めた表現として、ゴリラ、狂犬、気違い（nuts）などもある。敵にたいするヘイト表現

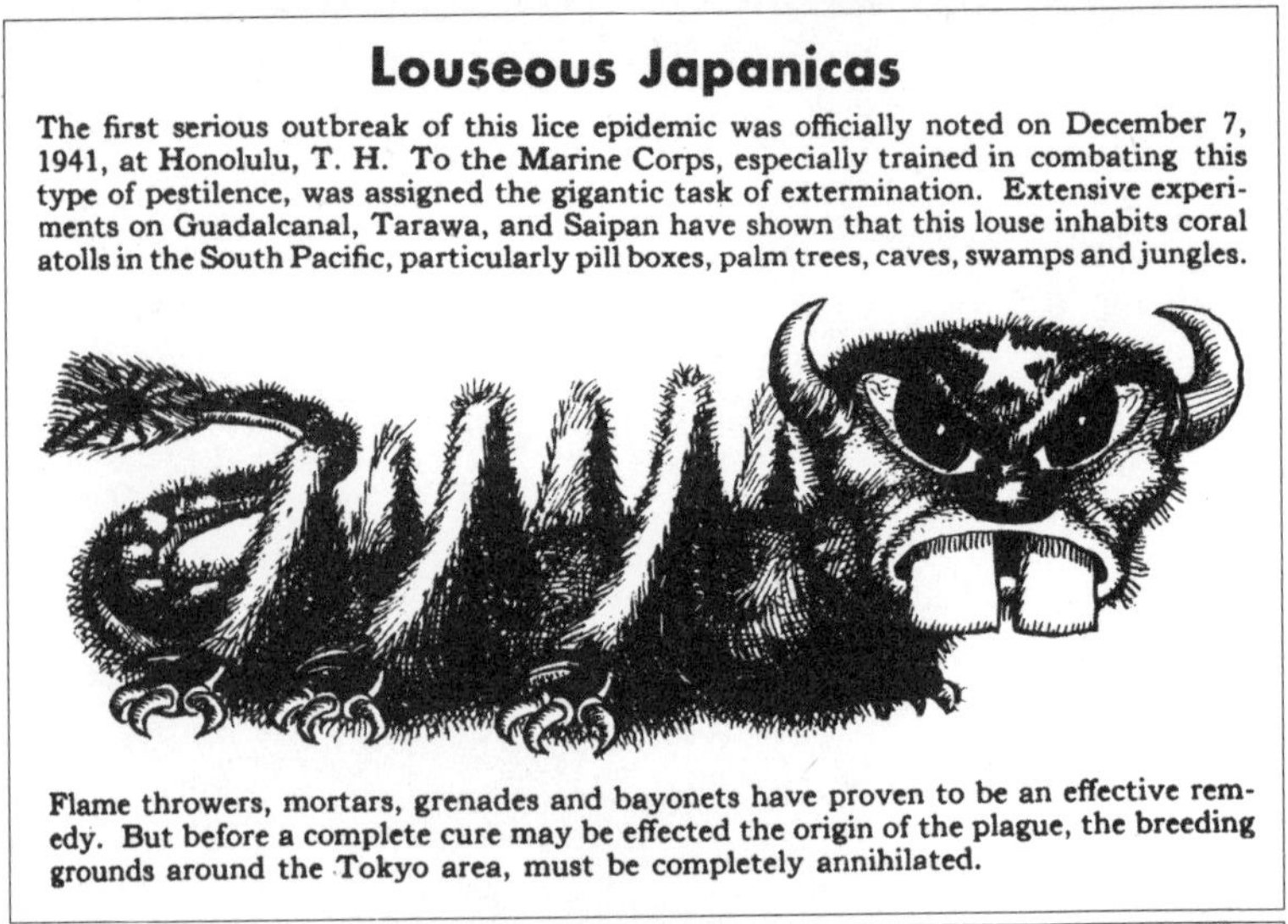

Louseous Japanicas

The first serious outbreak of this lice epidemic was officially noted on December 7, 1941, at Honolulu, T. H. To the Marine Corps, especially trained in combating this type of pestilence, was assigned the gigantic task of extermination. Extensive experiments on Guadalcanal, Tarawa, and Saipan have shown that this louse inhabits coral atolls in the South Pacific, particularly pill boxes, palm trees, caves, swamps and jungles.

Flame throwers, mortars, grenades and bayonets have proven to be an effective remedy. But before a complete cure may be effected the origin of the plague, the breeding grounds around the Tokyo area, must be completely annihilated.

米軍海兵隊機関誌、月刊『レザーネック』1945年3月号に掲載された「ニッポン・ヒトジラミ」。日本への低空からの焼夷弾爆撃が開始されたことにあわせた、いわばシラミ撲滅作戦に沿った記事。

同じく『レザーネック』誌1945年9月号。「ちっぽけなサルの日本人はもう飼いならされている」。

はどこの国でもあまり大差ない、ステレオタイプである。

変わった造語として「ジェイプス」（ジャップとサル「エイプ」の造語＝Japes）、「モンキー・ニップス」（「ニップス」は「Nippon」の略「Nips」）。頭に「リトル（ちっぽけな）」をつけたり、「イエロー」をつけて慣用句にするのもある。「イエロー・モンキー」は当たり前すぎるが、「イエロー・ベリーズ（臆病者）」、「イエロー・ドッグ（卑怯者）」など。

アジア人全体では、「グークス（黄色野郎）」、「ディンクス（ベトコン野郎）」、「スロープス（アジア野郎）」。「スロープス」は「つり目・斜視」をかけたことば。「スラント（つり目野郎）」というのもある。

まだある。「ニガー（黒ん坊）」は有名として、「ワッグ（アラブ野郎）」、「ヒーザン（邪教徒）」、「ペイガン（偶像信者）」（サム・キーン『敵の顔』）。まあ、日本人もかつて中国人のことを「チャンコロ」などと呼んで蔑んだ歴史があるのであまりえらそうなことはいえない。

一方、日本人が抱いた敵のイメージは、基本的に害獣や害虫などではなく「鬼」（下）。

太平洋戦争のとき、桃太郎の鬼退治にあやかったプロパガンダ。桃太郎の陣羽織に「世界一」、犬が持つ旗に「東亜共栄圏樹立」とある。

「鬼畜米英」の「鬼畜」は、「人間の仮面をかぶった獣」（ジョン・ダワー『容赦なき戦争』）で、みた目は人間、中身は鬼。日本人がもっとも恐れるのは、あくまで人間もどきで、鬼という神にも悪にもなれる人知を超えた存在である。

しかし、「人の皮をかぶった悪魔」というような表現は（後述）、殺戮へのハードルを下げるためにドイツ軍がよく使っていた。

「特別軍事作戦」

「プーチンの戦争」で、プーチン大統領はウクライナ侵略戦争を「特別軍事作戦」といいかえ、ロシア国内では、メディアから国民の間に、「戦争」ということばが露出しないように徹底的に監視した。もちろん、「特別軍事作戦」（＊）というあいまいな表現にしたからといって、内実はまったく変わらない、まさに侵略戦争である。ただし、二、三日で終わるはずの侵略が長期化し、プーチン大統領は、「戦争」ということばを使って戦時動員をかけざるをえない状況に追い詰められている。「戦争」宣言は、「プーチンの戦争」の失敗を物語っている。

＊軍事作戦で「特別」がついたときは、たいてい重要な任務をぼかすときだ。第二次世界大戦のドイツ軍の「アインザッツグルッペン」（本文で後述）といったら、「行動部隊」というような意味だが、通常「特別行動部隊」などと訳される。なにが「特別」かといえば、敵性分子の殺戮を目的としているから。敵性分子の定義はあいまいなので、手当たり次第に虐殺する部隊といえる。「ゾンダーコマンド」（本文で後述）は、「特別労務班」「特別分遣隊」などと訳される。「特別労務班」は、ナチ絶滅収容所で同胞のユダヤ人殺戮の後始末をさせられたユダヤ人収容者のことで、「特別分遣隊」は、アインザッツグルッペンに含まれる実行部隊のこと。

ベトナム戦争でもアメリカ軍は「特別攻撃ゾーン」というのを設置した。もとは「自由射撃ゾーン、自由攻撃ゾーン」といい、女・子ども、赤ちゃんだろうと射撃していい、なにをしても許される地帯のことをさした。

「プーチンの戦争」を「特別軍事作戦」といったのも、これは「戦争」ではないから、「戦争」の国際ルールを守らなくていい、という意味で「特別」であり、虐殺・性暴力・略奪も含めてなにをやっても許される軍事作戦ということである。緒戦で、侵攻のことを知らされずにやってきたロシア兵に、アフガニスタン戦争での10年間の総死者数に匹敵するくらいの死者がでた、という意味でも「特別」である。

国際ルールで禁じられている民間人への殺戮も容赦なく実行されている。これを西側メディアが報じても、プーチン大統領らは、すべて「フェイク」の一言ですませている。メンタルがよほど強くないと、独裁者は務まらない。とはいえ、なにごとも「フェイク」の連発では、想像力が欠如しすぎている。

アメリカもそうだ。アフガニスタン侵攻は、二〇〇一～一四年まで「不朽の自由作戦」、二〇一五年から撤退する二〇二一年までは「自由の番人作戦」と呼んだ。二〇〇三～一〇年のイラク侵攻は「イラクの自由作戦」と名付けられた（その後の米軍が完全撤退する二〇二一年までは「新しい夜明け作戦」）。なんでも「自由」をつければいいというものでもない。とくに不純な侵攻理由があった場合はなおさらだ。

しかし、いいかえによって目を眩ます例は多い。たとえば、太平洋戦争のときの日本軍大本営は、全滅を「玉砕」、戦場で死ぬことを「散華」、そして「英霊」「軍神」、敗退を「転進」、一時避難を「疎開」、自爆を「神風特攻」、かつて蒙古軍をやっつけた台風を「神風」と呼び、自爆行為に神を結びつけた。「占領軍」は「進駐軍」だ。もちろん、当時の日本を「神国」と呼んだり、天皇の声を「玉音」と呼ぶなど、なんとか現実から目を逸らそうと苦心惨憺している。

現在も日本政府は、「武器輸出」を「防衛装備移転」といいかえ、「敵基地攻撃能力」を「反撃能力」といいかえようとしている。「攻撃」と「反撃」の境界はきわめてあいまいだから「先制攻撃」も含まれそうだ。いや、あえていいかえようとしているのかもしれない。プーチン大統領も攻撃（侵略）を反撃といいかえている。やはり、過去の教訓はなにも生きていない。歴史は繰り返されてばかりいる。

ともかく、独裁者、侵略者、そして前線の兵士たちは鈍感であることが求められる。

「倫理の崖っぷちに立たせられたら、疑問符などかなぐり捨てろ。
内なる無神経を啓発しろ。世界一鈍感な男になれ。」（伊藤計劃『虐殺器官』）

アメリカ軍の例でいえば、死者数は「ボディカウント」。殺人は「テイクアウト」。「テイクアウト」は日常的に使うことばなので複雑だ。戦闘に巻き込まれて死んだ民間人は「コラテラル・ダメージ（付随的損害）」。棺桶のことは「ハート・ロッカー（傷ついたロッカー）」。

ついでにいえば、「戦争としるし」で少し触れた「現地調達」ということばも、戦争においては、略奪のことをさす。「プーチンの戦争」におけるロシア兵も、ウクライナで強奪し、ベラルーシから自分の住所に強奪品を送っていたとされる。二、三日で終わるはずの戦争だったから兵站をちゃんとしていなかったが、それに加えて、当座に不必要なもの（家電製品など）を盗んだのだった。あげくのはてに虐殺・性暴力までしているとしたら、神の眼を恐れない最悪の強盗団である。

しかし、かつての十字軍（「戦争としるし」参照）も、ドイツ軍、日本軍も「現地調達」を旨とした。「現地調達」ということばには悪意が潜んでいる。

「特別労務班」

しかし、戦争における兵士の心理的負担を軽くすることは常に喫緊の課題である。とくに、虐殺となると通常の神経では実行できないはず。

アウシュヴィッツなどの絶滅収容所では、親衛隊員の心理的負担を軽減するために、虐殺行為をシステム化し、そのプロセスのほとんどをユダヤ人の被収容者にやらせた。

家畜列車でアウシュヴィッツに連れてこられたユダヤ人は列車から降ろされ（荷下ろしと呼ばれた）、働けそうな人間と、老人や子どもなど、そうでない人間に選別され、働けそうもない人間はそのままガス室に向かわされ、脱衣所で裸になり、シャワー室という名のガス室で殺され、死体は焼却炉で焼かれ（焼却炉が超過稼働のため外で死体を焼く場合もあった）、その灰は川に捨てられた（下）。

選別以外のこのプロセスすべてを担ったのが、「ゾンダーコマ

アウシュヴィッツで犠牲者の死体を焼くゾンダーコマンド、1944。被収容者が決死の覚悟で撮影した4枚のうちの1枚。

ンド（特別労務班）」と呼ばれた、到着直後の選別で選ばれ、働かされていたユダヤ人。「特別労務班」というネーミングに、「プーチンの戦争」の「特別軍事作戦」に似た、心理的負担軽減手法が感じられる。このすべての汚れ仕事をやらされたゾンダーコマンドも数カ月後には同じ運命をたどらされた。

虐殺されるユダヤ人をスムースにガス室に誘導するには「フェイク」が必要になる。「戦争としるし」のところで触れた、建物の入り口に「ダビデの星」を掲げたのもその一例だが、シャワーのあとにはコーヒー、スープが待っている、として脱衣所の入り口にはコーヒーの匂いをたてたカフェの車を用意したり、真実味を高めるために入浴料金を渡したりした。

絶滅収容所ソビブルでは、人びとを安心させるために、シャワーのあと持ち物はすべて手元に返されるとしたほか、「いまこそユダヤ人たちが社会の生産的メンバーになるべき時なのだ」（マルセル・リュビー『ナチ強制・絶滅収容所』）とSS軍曹が演説し、感動したユダヤ人が拍手で応えたという例もあった。

「いいからかれらを殲滅して進め」

また、ナチスがソ連に侵攻した目的のひとつがソ連のユダヤ人五〇〇万人の絶滅である。一応、ドイツ国防軍の前線を支援するため、敵性分子殺戮の任を帯びて、後方から進軍したアインザッツグルッペン（特別行動部隊）が、虐殺の限りを尽くした（このなかにもゾンダーコマンド［この場合は特別分遣隊と訳される］と呼ばれた部隊が所属していた）が、それでも自ら手を下さなければならない場合も多かった。そのため国防軍は、兵士の心理的負担を軽くするために、『劣等人種』なる小冊子を兵士全員にくばった。

いわく、かれらは人間に似ているが、人間とはまったく別の恐るべき生物であり、低級で人間以下の存在である、と（リン・H・ニコラス『ナチズムに囚われた子どもたち』）。こんな非論理的な理屈に納得する兵士がいるとは思えない（納得せざるをえなかったかもしれないが……）。

国防軍元帥のヴァルター・フォン・ライヘナウは、ドイツ軍兵士たちに、「いいからかれらを殲滅して進め、食料もドイツ軍のものだから与えるな、ドイツ民族のために、建物は焼き尽くせ」という「ライヘナウ司令」をだし、『劣等人種』にお墨付きを与えた。結局、兵士たちは、ためらわずに絶滅戦争に邁進した。

映画『炎６２８』（エレム・クリモフ監督、一九八五）に、ロシア側の視点ながら、アインザッツグルッペンの悪行が厳しく描かれている。「６２８」は、ベラルーシでアインザッツグルッペンによって人ごと焼き尽くされた村の数。

アインザッツグルッペンの指揮官たちは、戦後死刑に処されるなど、それ相応の罰を受けたが、前述したフランスで虐殺を続けたダス・ライヒ（「戦争としるし」参照）の指揮官たちは、戦後訴追されても恩赦などもあって、戦争犯罪の罰を受けていない。

対するソ連側も、機関紙『赤い星』に、「ドイツ軍は人間じゃない」という一文を載せ、「殺せ」を連呼し、「ドイツ人の死体にまさる楽しみはない」と結んでいる（大木毅『独ソ戦』）。独ソ戦は、まさにお互いが敵を滅ぼすまで戦う、まったく救いのない戦争だった（「戦争」に救いなどもともとないが）。


現在の戦争も、戦場で直接、殺戮や残虐行為に手を染める歩兵は限りない鈍感さを求められるが、標的から遠く離れてボタンを押す爆撃機搭乗員、ミサイル発射要員などは、鈍感さというよりも自分の行為によって人が死ぬことへの無関心が当たり前になっている。プーチン大統領が、核のボタンを押すぞという脅迫には、人の死を目の当たりにしないゆえの無関心があるからいえることばだろう。

「第五列」

二〇一四年のロシアによるクリミア併合以降、ロシアでは対敵協力者を「第五列」「外国の代理人」「国家反逆者」と呼んでいる。日本では「売国奴」という呼び名が一般的で、すべてスパイのことだが、とくに「第五列」には説明がいる。

「第五列」とは、スペイン内乱（一九三六）のとき、共和国政府が防衛するマドリードをフランコ将軍の反乱軍が、四つの部隊を率いて包囲した。そのときフランコが、マドリード市内には第五番目の部隊、つまりかなりのスパイが援軍として潜入している、といったことに由来する。このとき共和国政府軍の中心だった共産党が「第五列」狩りをはじめたことで、共産政権側がとくに使うようになった。

ちなみに、ソ連の国家保安委員会（KGB）のロシアになってからの後継組織、連邦保安局（FSB）のなかに、旧ソ連諸国（ウクライナを含む）をロシアの影響下に置く任務を担っていた部局が「第五局」。今回の「プーチンの戦争」で、ちゃんとした情報を上げなかったという理由、いや罪で、逮捕者も含めて一五〇人も更迭・粛清されたという。

これは、プーチン大統領がスターリン化し、耳触りのよい情報しか求めなかったから、ともいわれている。「プーチンの戦争」が予定通り進まなかったのは、強権すぎるプーチン大統領自身のせいなのだ。責任を部下に転嫁するのはスターリンの十八番でもあった。

もともとプーチン大統領は、SNSどころかスマホも持たないらしい、いわば裸の王様。元スパイなのに、情報を得る手段がすべて部下まかせ。それで予測がはずれたら部下のせいにする。最悪のパワハラ上司だ。少なくとも、打ち合わせの席が（コロナ感染の恐怖からか）四、五メートルも離れていたら、密な打ち合わせができるわけがない。映像ならともかく、紙の資料があったらそのやりとりだけでも大変だ。間違いなくコミュニケーション不足になる。

ところが、「プーチンの戦争」が二カ月ほど経ったころ、プーチン大統領は、今度は逆に密すぎるくらいの一メートル以内の距離で国防相の報告を聞いていた。国連事務総長グテーレスさんとの会談では、やはり数メートル離れていた。プーチン大統領の距離感は謎である。

「第五列」は、対敵協力者をさしているが、この「第五局」も敵を利する、いわば「第五列」扱いとして粛清されたように思える。プーチン政権内部に潜む「第五列」に「第五局」という名を与えていたという皮肉が浮かんでくる。

ソ連も含めた旧共産国でのいわゆる「非国民」にあたるほかの一般的なことばは、「階級の敵」「人民の敵」。「トロツキスト」というのもある。ロシア革命で活躍したひとり、レフ・トロツキーが、「反スターリン」だったところから、トロツキー信奉者をすべて反革命集団「人民（階級）の敵」と決めつけた。しかし、人民の真の敵は、さまざまなことを強要する権力者・独裁者（この場合はスターリン、プーチン）である。

「非国民」

「戦争と色」のところで、共産主義者を「アカ」と呼んだことに触れたが、太平洋戦争のとき日本では、スパイじゃなくても、戦争に積極的に加担しない非協力者を「非国民」と呼んだ。これは軍部が推し進めた翼賛体制にはずれた者という意味でもある。「翼賛」とは、もともと力を添えて助けることを意味しているが、総力戦のもと国民の自発的な協力を引きだすため、軍部批判を封じて、体制を褒め称えることも含意した（「プーチンの戦争」でのロシアも翼賛体制だ）。このなかから「非国民」ということばが生まれた。

この翼賛体制の一環としてはじまった「笑和運動」では、「戦《いくさ》する国とはみえぬ朗らかさ」「一億が笑って忍ぶ勝ち戦《いくさ》」などのスローガンが生まれ、「多様性を尊重するのでなく、『ニコニコ』で消去しよう」（大塚英志『大政翼賛会のメディアミックス』）とした。こんなのもある。「機はあれども飛機はなし。この叫びを忘れるな。笑って突込む神鷲を拝む心で飛機つくれ」（下）。戦局の悪化と労働人口となる男性は、戦地にとられ、労働力不足。飛行機生産が需要に追いつかなかった。需要というのは特攻である。死ぬ覚悟はできたのに、敵に突っ込むための航空機が足りない。だから生産に励め、という。笑いながら死地に向かわなければいけない飛行

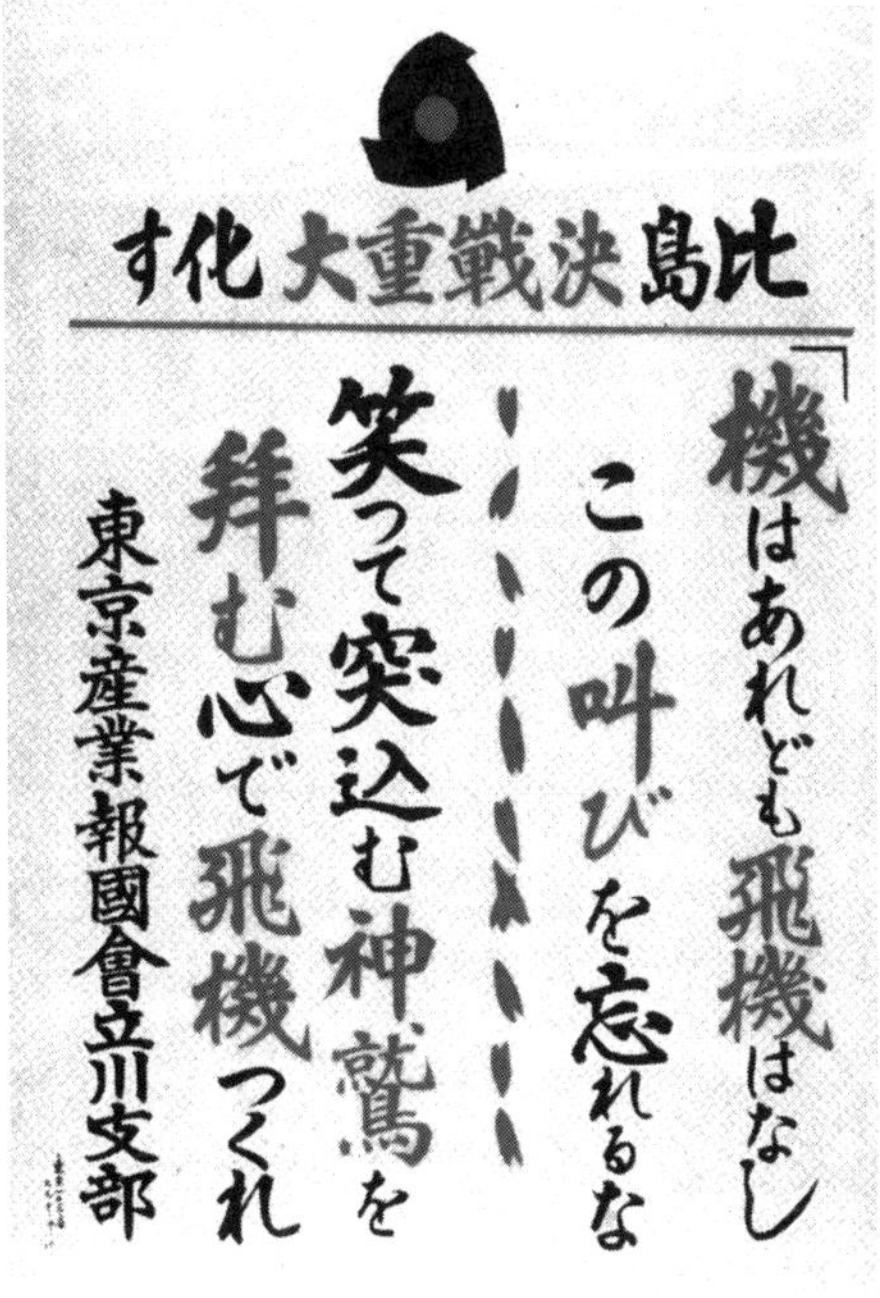

「比島決戦重大化す」ポスター、1944ごろ。

機乗りもつらい。こうしたスローガンに抗う人は非国民となる。

そういえば、一九六〇年代末の学生運動華やかだったころ、左翼学生が敵を罵るときに使っていたことばが「走狗」、走る獣、具体的には「資本主義の走狗」のように使う。思えば、なんでもかんでも「走狗」をつけていたような気がする。獣もつらい。

「ハイル・ヒトラー！」

また、支配・非支配の関係を常に思い起こさせることばもある。

北朝鮮と朝鮮戦争休戦の一九五三年以来、まだ休戦状態が続いている韓国の軍隊は、敬礼のとき、「忠誠」「必勝」「団結」などの掛け声をする（警官は「忠誠」。数々の韓国映画で確認できる）。今でも戦争していることを実感させる。

ナチス・ドイツでは、ヒトラー政権が誕生すると、それまでナチ党内だけで使っていた「ハイル・ヒトラー！」をドイツ国民全員に、日常の挨拶に使うよう強要した。しかも背筋を伸ばして声を張り上げなくてはならない。洗脳の第一歩だが、拷問である。

ムッソリーニも軍隊の点呼のときに「プレゼンテ！（おれはここにいる）」といわせている。「おれ」はムッソリーニのことで、ここでも命令系統を常に思いださせられる。

中国文化大革命期のあいさつでも「毛主席万歳！」が蔓延した。これをいわないと理不尽な暴力に晒されるリスクがあった。

もうひとつ、文化大革命のときよく連呼されたことばが「造反有理、革命無罪」。一九六七年、天安門楼上で一〇〇万の紅衛兵の前で、林彪、周恩来らをしたがえた毛沢東は、「造反有理、革命無罪」を高らかに宣言した。

「造反有理」とは、権力者や上司、目上の人にたいする反抗には道理がある、ということ。紅衛兵たちは、気を使わずに暴力を行使できるお墨付きを毛沢東から得たのだった。そのあげく、「戦争と色」のところで触れた、自分の先生を殺し、親すらも批判して死に至らしめた者もいた。

日本の学生運動でも、文化大革命の実態がわからず、なにやらすばらしいことが起きていると誤解し、「造反有理、革命無罪」が反体制運動の免罪符となったことがあった。

加えて、「異議なし」と「ナンセンス」が集会での決まり文句となった。騒然とした場で声を張り上げる演説がよく聞き取れるわけでもなく、この決まり文句はお祭りの掛け声のようになり、形骸化していった。

「ラットを駆除しろ」

かつて、プロテスタント派の創始者のひとりマルティン・ルターは、「我が国の病原菌、害毒、真の疫病神はユダヤ人」（プレガー／テルシュキン『ユダヤ人はなぜ迫害されたか』）と述べ、ユダヤ人は、「ユダヤ人以外の人間の生き血を吸い、疫病の源であり、井戸に毒を入れ、世界制覇をもくろみ、神さえも殺した」（プレガー／テルシュキン、前掲書）と信じられてきた。前述した「第五列」ということばが生まれてから、ユダヤ人というだけで「第五列」とみなすなど、ひどいことばが生まれるたびにユダヤ人に結びつけられた。

ナチスには、迫害を鈍感にさせるヘイトことばは自慢できるほどある。日常的にナチスのそんなヘイト口撃にさらされていたユダヤ人は、あげくのはてに、「ラットを駆除」（下）するかのように何百万人も虐殺された。

ナチスの反ユダヤ主義のプロパガンダ映画『永遠のユダヤ人』（左頁、フリッツ・ヒップラー監督、一九四〇）では、ユダヤ教徒の日常の生活シーンの合間にネズミの大群の映像がサブリミナルのように挿入されている。どうしても（ペスト菌を運ぶ）ネズミとユダヤ

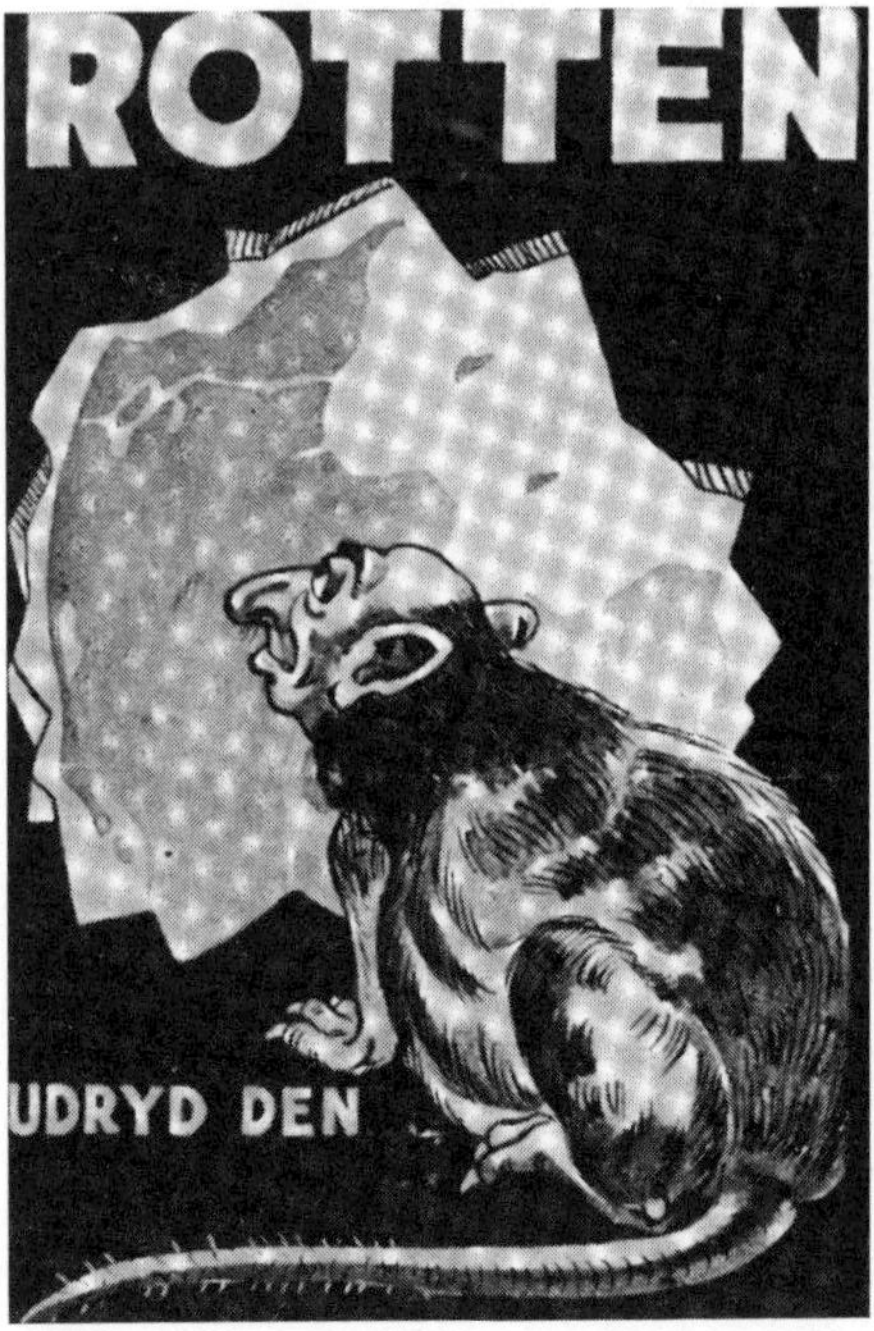

第二次世界大戦時、デンマークのナチスの反ユダヤ・ポスター「ラットを駆除しろ」。

人を結びつけたかったようだ。

「永遠のユダヤ人」とは、イエスが刑場に引かれていくときに、ユダヤ人がそれを嘲り、怒ったイエスが「永遠に彷徨い続けるがいい」と罵ったところからきている。も

ナチスの反ユダヤ・プロパガンダ映画
『永遠のユダヤ人』ポスター、1940。

ちろん伝承だ。「永遠のユダヤ人」に「彷徨い続ける」が抜けているせいか、「永遠に生き続けるユダヤ人」とも読める。当時のヨーロッパの人びとにとっては、そこまで説明しなくても既知のいい方だったのだろう。

ちなみに、独ソ戦のハイライトのひとつ、スターリングラード攻防戦で市街戦がはじまると、ドイツ軍はそれを、「ラットの戦争（ラッテンクリーク）」と呼んだ。瓦礫の山のなかをラットのように這いずり回らなければならない過酷な戦いだったから。この場合の「ラット」は自分たちドイツ軍のことであり、防衛するソ連兵は瓦礫を遮蔽物として有効活用していた。

「かれらを消すしかない」

ヒトラーはドイツを手中に納めただけでは飽き足らず、周辺国をドイツに併合しようとした。とくに東ヨーロッパの広大な土地の魅力には勝てなかった。そのため、ユダヤ人とともにヒトラーが劣等とみなすロシア・ポーランドのスラヴ民族を一掃して国自体を消滅させ、ドイツ国に加えようとした。

そして失敗した。いや、ナチス・ドイツの最大の失敗は、自民族（アーリア民族）優越主義に埋没したことである。その延長線上に、スラヴ民族とともにユダヤ人絶滅があった。

ナチス・ドイツは、侵略で領土を増やすこと以上に、ユダヤ民族やスラヴ民族浄化に莫大なエネルギーを費やした。なぜ敗色が濃くなっても迫害をやめなかったのか。やはり、アーリア民族優越説に凝り固まり、人間以下とみなしていたユダヤ・スラヴ民族をどうしても葬りたかったからだろう。

軍国日本でも、日本は神国だから戦争に負けるわけがない、など日本民族優越説を唱え、隣国民を差別・虐殺した歴史がある。あまり大きなことはいえない。

そして、ドイツ国内のユダヤ人を追いだしたところまでは計画どおりだった。侵略さえしなければ、ヒトラーが最初に思い描いた理想の状態だった。しかし、侵略して国土を広げるたびに、当たり前だが、ユダヤ人が、そして、スラヴ民族も加わり、増えていく。かれらを追放する土地が足りなくなる。ならば消すしかない。兵站などに必要な人員、鉄道などは大量のユダヤ人移送に割かれ、貴重なガソリンは人を焼くのに使われた。

それでは、ユダヤ人・スラヴ人を兵士として、東部戦線に送り込むというのはどうか。当時、ドイツ軍兵士の間でも東部戦線は生きて戻れない死の戦場という暗黙の認識があった。消耗品としての兵士の需要は高かった。

たとえば、朝鮮戦争に参戦した中国の人民義勇軍は、ドラを叩きながら進軍する人海戦術をとった。かれらの、倒しても倒しても攻めてくる、あたかもゾンビのような戦いぶりに国連軍は恐怖した。このときのゾンビのように撃ち殺されていた兵士の大多数が元国民党軍の捕虜である。かれらは弾除け要員にされたのだった。

「かれらは死ぬべきだ」

「かれらは死ぬべきだ」は、「このしるしをみたとき」と題したナチス宣伝省ゲッベルスが反ユダヤ・キャンペーンでつくったパンフレットに記されていたことば(下)。かれらは最悪の存在だから死ぬべきだ、と。「このしるし」とは「ダビデの星」である。

　ドイツ軍がソ連に侵攻したとき、緒戦の勝利によってウクライナなどを占領した。ソ連の穀倉地帯ウクライナは、スターリンの過酷な穀物の収奪によって飢えに悩まされ、ウクライナの人びとは、スターリンはじめ、共産党政権を激しく恨んでいた。

　ドイツ軍がきたとき、ウクライナの人びとは解放軍と捉えた。悪夢の共産党政権打倒のために、ドイツ軍に参加しようとさえした。うまくすれば一〇〇万を超える兵力をドイツ軍は手にしたかもしれない。しかし、ドイツ軍はかれらを戦力に登用せずに迫害した。スラヴ民族、そしてユダヤ人絶滅が最優先事項だったから。

1941年からゲッベルスがはじめた反ユダヤ・キャンペーン・ポスター、「このしるしをみたらユダヤ人」。

原爆開発では、もともとドイツがアメリカ・イギリスよりもはるかに進んでいた。しかし、研究チームからユダヤ人を排除した。そのため研究レベルが下がり、アメリカ・イギリスに先んじられてしまった。ヒトラーは原爆開発に、ユダヤ人の科学だからと積極的ではなかったという説もある。

エルンスト・ハインケルは、ウィリー・メッサーシュミットと並ぶドイツを代表する航空機デザイナー。ハインケルは、ドイツの主力戦闘機メッサーシュミットよりも優秀な戦闘機をつくったり、一九三九年の段階で世界のどこよりも早く優秀なジェット戦闘機を試作したりした。しかし、ナチスからは冷遇されていた。もし、これらの軍用機が採用されていたら戦局が変わったかもしれない、ともいわれている。

ハインケルには、ユダヤ人の血がわずかだが流れていたとか、容貌が典型的なユダヤ人顔をしていたこと、ナチ高官の天下りを拒否したことなどが冷遇の理由とされている。

ともかくナチス・ドイツは、戦争の勝利よりもユダヤ人排除を優先した。根本においてユダヤ人を信用していなかったから。

第一次世界大戦でドイツが負けたのは、共産主義者やユダヤ人がドイツ国内で戦争を妨害し、革命を起こした、裏切ったからだという「背後からの一突き」論にヒトラーはこだわっていた。かれらは必ず裏切ると。このトラウマが最後まで影響した。

「かれらだけは生かしておかない」

ヒトラーは、フーテンのころ、ユダヤ人の友人もいて、生活を助けてもらったこともあり、それほど激烈な反ユダヤ主義者ではなかった。むしろヒトラーはユダヤ人と仲がよかったという証言もある（マイケル・ケリガン『写真でたどるアドルフ・ヒトラー』）。ただし、反ユダヤ主義はドイツのみならず、何世紀もヨーロッパの民衆に巣食っていた膿である。ヒトラーは、あらゆる責任はすべてユダヤ人にあると執拗に罵ったが、なんでもかんでもユダヤ人のせいにしたのはヒトラーがはじめてではない。ヨーロッパ各国は大なり小なりユダヤ人を迫害し続けてきた。ヒトラーのユダヤ人口撃は伝統回帰だったともいえる。

ヒトラーはナチ党の前身組織に入り、敵をつくって徹底的に非難する演説手法で頭角をあらわした。演説のえげつなさは今のＳＮＳで蔓延しているヘイト口撃のはしりといえる。ユダヤ人非難は、民衆にとっていちばんわかりやすく、不満のはけ口となる。いわゆるポピュリズムである。したがって、反ユダヤ主義は党勢拡大に必須だった。

しかし、日々ユダヤ人非難を口にするたびに、ヒトラーは自らのことばに酔う、つまり洗脳されてしまった。そしてとうとう、ユダヤ人排除・絶滅が、ヒトラーに取り付いた憑きものとなった。ヒトラーにとってユダヤ人は、「自分たちが（たとえ戦争で）負けてもユダヤ人だけは生かしておかない」存在となった。

そして、ユダヤ人迫害は、ヒトラーが停止命令をだせば即刻終わる態のものだったが、戦局悪化にもかかわらず、ヒトラーの憑きもの落としは、自死まで叶わなかった。

ここでもうひとつ疑問が浮かぶ。ヒトラーにとってユダヤ人絶滅は人生そのものとなったが、はたしてユダヤ人がすべていなくなったとしたら、そのときヒトラーは、生きがいを失ってしまうのではないだろうか、ということである。幻肢痛のようにいつまでも存在の幻影に苦しむかもしれない。ユダヤ人こそヒトラーのレーゾン・デートル（存在理由）だったといいたくなる。

いや、ヒトラーはもっと残酷なことを考えていた。ユダヤ民族の文化も含めた痕跡を完全に消滅させたあと、当時のチェコスロバキアのプラハ博物館にユダヤ関連の資料・美術品を収蔵するつもりだった。

「ユダヤ人は滅ぼされたのちに忘れ去られるのではなく、滅ぼされたのちに未来永劫記憶されることになっていた……永遠の死は忘却の淵に沈むかわりに、迫害者によって永遠に記憶されるという拷問だったのだ」（歴史学者エリザベス・ドマンスキーのことば、ロバート・ベヴァン『なぜ人類は戦争で文化破壊を繰り返すのか』）

「永遠のユダヤ人」とは、前述したように「永遠に彷徨い続けるユダヤ人」という意味だったが、それに加えて、ヒトラーにとってユダヤ人とは「永遠に迫害され続けるユダヤ人」だったのだ。

「過去を嗅ぎまわるのはよそう」

ホロコーストを実行した武装親衛隊、国防軍、警察大隊は、戦後ほとんど罪を問われなかった。あまりにも対象人数が多く（八〇〇万人ともいわれていた）、かれらをすべて処罰したら戦後ドイツの復興は望めなかった。冷戦の深刻化もあり、ナチ追求にかまけている余裕はなかった。一九五〇年代当時の西ドイツの首相コンラート・アデナウアーの「過去を嗅ぎまわるのはよそう」（石田勇治「連邦大統領の演説と想起の文化」『ナチズム・ホロコーストと戦後ドイツ』所収）である。

元ナチはなに食わぬ顔で戦前の職業に戻った。なかにはナチの裁判官だったにもかかわらず、そのまま判事など重要な職務についたものもいた。

しかし、一九五〇年代後半、ソ連から釈放された戦争捕虜のなかに重犯罪を犯した元ナチがいたこと、非ナチ化に成功した東ドイツによる西ドイツの司法に元ナチがいることへの批判キャンペーンが開始されるなど外堀が埋められる形で、ナチ犯罪追求の機運が高まった。

決定的だったのは、一九六一年、ホロコーストに加担したナチ親衛隊官僚、アドルフ・アイヒマンの裁判がイスラエルではじまったこと。裁判の一部始終が、（一部のひとのみが鑑賞できる）閉回路テレビで中継され（イスラエルではまだ一般のテレビ放送がはじまっていなかった）、映像は即日アメリカに送られ、翌日には全米に放映された（下）。裁判のなかで、米軍が撮影した絶滅収容所の映像とともに、ホロコーストの実態が明らかにされ、全世界に衝撃が走った。

前述したように、法曹界にも元ナチ党員がいた西ドイツでは、戦犯の訴追に消極的だったが、アイヒマン裁判の衝撃によって、ホロコーストに関与した元ナチ党員、元親衛隊員などの追求の見直しをはじめた。

戦時下で子どもだった人も戦後十数年経って大人になり、いろいろなことを知る。元ナチだったことを隠して、生活していた父親は、自らの戦争犯罪を隠しきれなくなる。「ダディは、戦争のときなにをしたの？」である。

一九六〇年代半ばから、世界的な流行をうけて、西ドイツ

映画『ハンナ・アーレント』（マルガレーテ・フォン・トロッタ監督、2012）のなかで流れた、イスラエルで行われたアイヒマン裁判の実際の中継映像。アイヒマンは「事務的に処理した」と繰り返し述べていた。

でも体制に反抗する学生運動がはじまった。学生に成長したかつての子どもたちは、元ナチの追求をはじめた。「ガウンの裏には千年のカビ」（ラインハルト・リュールップ「ナチズムの長い影」『ナチズム・ホロコーストと戦後ドイツ』所収）などのスローガンが語られ、家庭内の元ナチ追求は、多くの家庭崩壊をもたらしたという。

「祖父は戦争のときなにをしたの？」

当初、戦犯のなかでも重大犯罪には時効があったが、一五年から二〇年、三〇年と次々と時効が延長され、一九七九年に時効はとうとう撤廃された。とはいえ、実際に戦犯で訴追されたのは全体のごく一部。多くは追求を逃れきったといわれている。そこにはドイツ司法の抜け道があった。

一九六八年、学生運動の高まりのなかで、殺人などの犯罪行為に手を染めた若者を救うという建前でひとつの法律が施行された。「秩序違反施行法」（当時のドイツ連邦司法省刑法部長、エドゥアルト・ドレーアーが起草したところから通称ドレーアー法とも呼ばれている）、つまり殺人罪を、計画を立てたり命じたりした者を裁く謀殺罪と、命令された者、過失致死などによる故殺罪に分け、故殺罪の時効を一五年とした法律。

この法律を起草したドレーアーは、元ナチ党員でナチ時代には検事だった。戦後も訴追されずに西ドイツの法曹界で生き延びた。ナチ時代の裁判では窃盗でも死刑が適用されるなどイスラム過激派の所業とリンクする部分も多い。

したがってこの法律は、学生運動の勢いで殺人を犯した学生を助けるというよりも、ナチ時代の戦争犯罪者を救う目的の法律でもあった。つまり、謀殺罪に該当するのは、ヒトラーやヒムラー、ハイドリヒなどのナチ党のトップのみで、ほかの党員は故殺罪なのだ。しかも、この法律の施行は戦後一八年経っていたので、戦前・戦中の故殺罪の時効はすでに成立していた。元ナチスへの高まる追求にたいする元ナチ側からの逆襲である。

このドレーアー法の闇を暴いたのがフェルディナント・フォン・シーラッハ『コリーニ事件』（二〇一一、二〇一九年にマルコ・クロイツパイントナー監督が映画化）。著者の姓がシーラッハというように、元ナチ党員でヒトラー・ユーゲントなどの全ドイツ青少年組織のトップだったバルドゥール・フォン・シーラッハの孫。バルドゥールは、戦後のニュルンベルク裁判で死刑を免れ、禁固二〇年を刑務所で務めた。フェルディナントは、祖父が出所したとき二歳、祖父が死んだとき一〇歳。そしてのちに元ナチの戦争犯罪を暴く『コリーニ事件』を執筆する。まさに「祖父は戦争のときなにをしたの？」を地でいっている。

『コリーニ事件』は、ある老人の殺人事件からはじまる。犯人は初老の男。自首するが、動機は語らない。しかし、裁判の過程で徐々に被害者の過去が暴かれる。被害者は、元武装親衛隊の将校だった。かれは、戦争末期のイタリアで、パルチザンへの報復としてイタリア人の虐殺を指揮する。

犯人は、かつてこの被害者を戦犯として告訴したことがあったが、このドレーアー法の壁にはばまれて訴追できなかった。だからこの事件は、復讐殺人だった。『コリーニ事件』が発表されるまで、この法律の抜け道は指摘されなかったが、この小説刊行の数カ月後の二〇一二年一月、遅ればせながら、ドイツ法務省内に「ナチスの過去再調査委員会」が設置された。一冊の小説が政治を動かした稀有な例である。

「いないのは、きみか？」

「ダディは戦争のときなにをしたの？」で有名なポスターがある。徴兵募集ポスターのはしりで、非難めいた口調の「ダディは第一次世界大戦でなにをしたの？」（左頁、一九一四）だ。戦時中の罪を問うのではなく、戦争に参加しないことの罪を問うポスターである。

第一次世界大戦は、戦争遂行のための正当性と国民の犠牲を必要としたはじめての大きな戦争だった。そのために広告代理店がプロパガンダ戦略を担った。このキャッチフレーズも、イギリスのキャクストン広告代理店が考案した。

とまどいぎみの父親を睨みつける娘。娘の指はイギリスの勝利が記された歴史の本

左頁）サヴィル・ラムリー・デザイン「ダディは大戦（第一次世界大戦）でなにをしたの？」ポスター、1914。パパを咎めているような眼つきの娘は、イギリス勝利の歴史の本を開き、息子は大砲と兵隊のミニチュアで遊んでいる。

Daddy, what did YOU do in the Great War?

をさしている。息子は、大砲と兵隊のミニチュアで遊んでいる。志願しないと将来子どもに顔向けできないぞ、と子どもをダシに使っての脅しである。

こうした脅迫的ポスターに先鞭をつけたのが、アルフレッド・リート・デザインの

上）キッチナーの徴兵ポスター、アルフレッド・リート・デザイン、1914。
下）ザ・ビートルズ『サージェント・ペパーズ・ロンリー・ハーツ・クラブ・バンド』ジャケット、ピーター・ブレイク／ジャン・ハワース・デザイン、1967。

「キッチナーの徴兵ポスター」（右頁、一九一四）。第一次世界大戦時の陸軍大臣ホレイショ・キッチナーは、当時のイギリスでは、誰でも知っている超有名な軍人。ビートルズが『サージェント・ペパーズ・ロンリー・ハーツ・クラブ・バンド』（右頁下、一九六七）のジャケットで着ていた軍服も、「アイ・ウォズ・ロード・キッチナー・ヴァレット（キッチナー卿の召使い）」という名の古着屋で購入したもの。キッチナーは、ヴィクトリア朝時代の軍人の代表なので軍服の古着といえば、「キッチナー」の名に権威があった。

キッチナーは真正面を見据え、指をさして、「イギリスはきみが必要だ」と語る。心理的圧迫感は少ないが、個人に直に訴えているようなデザインにドキッとさせられる。

結局、キッチナー・ポスターは多くの志願者を得て大成功する。気をよくしたイギリス陸軍は、より脅迫のほうにエスカレートしたポスターをつくる。イギリスの代表的なシンボル、ジョン・ブル（ユニオンジャック柄のベストを着た夜会服に半ズボンといういで立ち）、が正面を指さしながら、「（まだ戦争に）きていないの

ジョン・ブル・イメージの「（まだ戦争に）きていないのは、きみか？」ポスター、1915。

は、きみか?」（前頁、一九一五）。

「きみがほしい」

アメリカも第一次世界大戦に参戦することになり、キッチナー・ポスターの成功を受けて、見事に同じ発想のポスターをつくる。アメリカ人のシンボル、アンクル・サムが指さしながら、「（アメリカ陸軍のために）きみがほしい」（上、一九一七）。胸キュン作戦

上）アンクル・サム・ポスター、ジェームズ・モンゴメリー・フラッグ・デザイン、1917。
下）ベトナム戦争のときにつくられたアンクル・サム・ポスターのパロディ、1971。瀕死のアメリカが助けを求めている。

である。
このデザインは、第二次世界大戦、ベトナム戦争にも使われた。ベトナム戦争への反戦運動が高まった一九七一年、包帯だらけの年老いたアンクル・サムが、「オレを（戦争の泥沼から）はずしてくれ（ＯＵＴ）」（右頁下）。ビートルズ、ジョン・レノンが、「レヴォルーション」のなかで、反体制運動に「in（参加する）」か「out」で悩んだことが思いだされる。

また、第二次世界大戦のときアメリカは、「きみは全力でやって（闘って）いるか？」（上、一九四二）という難詰するようないい回しのポスターもつくっている。手元に、青地白抜きの星、赤い線の袖口がみえるところからこの指はアンクル・サムのものだろう。

こうした指さし追求、脅迫型のポスターはキッチナー・

上）第二次世界大戦のときのアメリカの指さし脅迫系ポスター「きみは全力でやって（闘って）いるか？」1942。手元でアンクル・サムであることがわかる。

ポスター以来、各国軍隊で競ってつくられた。ロシア革命時の内戦でも白軍は「なぜ、きみは軍隊にいないんだ？」（右上）、赤軍は「赤軍に志願したのか？」（右中）と睨みつけている。どちらも脅迫的だ。

独ソ戦がはじまるとすぐに心理的圧迫をもたらすポスターがいくつもつくられた。その一枚、指さしを使った「きみは前線でなにをしたか？」ポスター（右下）。これはいくつもヴァージョンがある。

もう一枚は「母なる祖国が呼んでいる！」ポスター（左頁、イラクリー・トイゼ画）。独ソ戦のことを、ナポレオン・ボナパルトを敗退させた祖国戦争（一八一二）にちなんでスターリンは「大祖国戦争」と呼んでいたので、ここでいう「祖国」とは大祖国戦争のこと。「母と祖国」はイコールなので、「母（祖国）を守れ」となる。

上）ロシア革命のときの白軍の脅迫系リクルート・ポスター「なぜ、きみは軍隊にいないんだ？」1919。
中）同じくロシア革命のときの赤軍の脅迫系リクルート・ポスター「赤軍に志願したのか？」1920。
下）独ソ戦のための「きみは前線でなにをしたか？」ポスター、1941。

独ソ戦のための「母なる祖国が呼んでいる！」ポスター、1941。

プーチン大統領も「プーチンの戦争」を、ロシアから離れようとしているウクライナを取り戻すというなど、「大祖国戦争」を意識している。

「かれらは戦争の責任を負わなければならない」

もともと指さしはヒトラーが得意としていた。演説では指さしのオンパレード（下右）。常に敵を罵倒していたので、指さしは効果的である。だから逆に、ポーズがわからないラジオ放送では心なしか精彩に欠けているようにみえる（下左）。

ナチス・ドイツが独ソ戦で負けはじめたころつくられた反ユダヤ・ポスター「かれら（ユダヤ人）は戦争の責任を負わなければならない」（左頁、一九四三）にそのあせりが窺われる。

ヒトラーは、それまで、アメリカの指導者は全部ユダヤ人だとか、ローズヴェルトやチャーチル、スターリンはユダヤ人の召使いなどとして、戦争はユダヤ人の陰謀だとさんざん根拠ない誹謗中傷を繰り返した（左頁下）。そしてこのポスターでは、戦争の当事国関連ではなく、もはやユダヤ人との戦争だ、というニュアンスが強調され

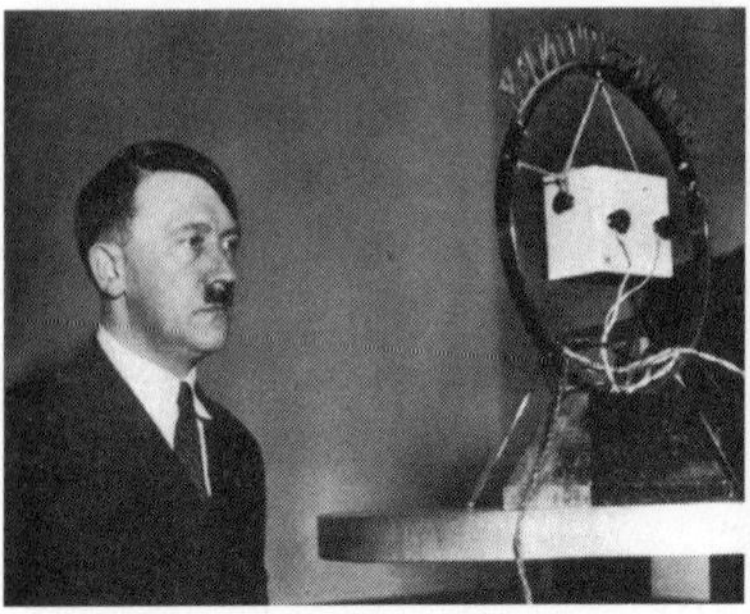

右）1933年2月10日、ラジオ放送された「ドイツ国民へのよびかけ」演説でのヒトラーの指さし。この演説に先立って行なわれた、スタジオ収録のラジオの政見放送（左）では、心なしか乗りが悪そうで、ヒトラーは、聴衆の前で本領を発揮するタイプだった。

上）ナチス、反ユダヤ・ポスター「かれらは戦争の責任を負わなければならない」1943。
下）ローズベルト、チャーチル、スターリンの背後にはユダヤ人がいる、漁夫の利を得ようとしている、とするナチスのカリカチュア。とはいえ、スターリンも反ユダヤ主義者として知られている。1941。

ている。
　ちなみに、同じころつくられた「ヒトラーは勝利である！」（上右、一九四三）というポスターがある。このフレーズはそれまで何度も語られてきたが、（敗走をはじめた）この時期では、強がりとしか感じられなくなった。軍服をやめたスーツ姿のヒトラーは、力なく、視線が宙を彷徨っているふうで、図らずも神通力を失ったようにもみえる。

　もう一枚、ナチ・プロパガンダ・ポスターのメイン・イラストレーターのひとり、ハンス・シュヴァイツァーが描いた「前線と銃後へ　勝利を約束する」（上左、一

右）対ソ戦で敗走が続いているころつくられたポスター「ヒトラーは勝利である！」1943。ヒトラーの表情は心なしか冴えない。
左）敗北を重ねたころ、虚ろに響く「前線と銃後へ　勝利を約束する」ポスター、1943。

九四三）も、シュヴァイツァーの荒々しいタッチが逆に「勝利」を虚ろなものにしている印象だ。

　シュヴァイツァーは、退廃芸術展を企画し、ユダヤ人にたいするヘイト・ポスターも多数手がけたが、戦後、罰金刑に科されるのみでうまく逃げおおせた元ナチ党員のひとり。ただし、「ゲッベルスの画家」の悪名がついて回り、極右勢力の新聞などでイラストを描くなど活動が限られた。

　ナチスの代表的なもうひとりのイラストレーターは、ルートヴィヒ・ホールヴァイン。ルシアン・ベルンハルトとともにオブジェクト・ポスター（独語でザッハプラカット。商品とロゴのみで構成する超シンプルなデザインで、その後、広告デザインの基本となる）を定着させた功労者のひとりでもある。

　かれは、ヒトラーの政権奪取前の一九三二年、ドイツの退役軍人組織へのリクルート・ポスターを描いている。

「そしてキミは（どうする）？」ポスター、ホールヴァイン画、1932。

「そしてキミは（どうする）?」（前頁）、入隊するのかしないのか早く決めろ、というような一種脅迫的な文面である。これもオブジェクト・ポスターの「（いいから）買え」と同じ発想だろう。

ホールヴァインは、ナチスの権力掌握とともにナチ党員となり、一九三四年まで陰影の強いシンボリックなポスターを描いて、ナチスの神秘性を高めるのに貢献した。その後は、ナチスの余暇を支配するための福利厚生組織、歓喜力行団や、ヒトラー・ユーゲント、ドイツ少女団のリクルート（一九三六年末に、一〇～一八歳までの男女の強制加入が法律で決まり、リクルートは不要になった）関連のポスターをデザインした。それまでのシンボリックな暗い画風から一転して笑顔に溢れた明るい作法となり、その表現が功を奏したのか、戦後、シュヴァイツァーと同じくナチスの画家だったが、訴追されなかった。

「ヒトラーってなにもの?」

ヒトラーは、ミュンヘン一揆に失敗して以降、クーデターの限界を感じた。当時のヒトラーはもともと知る人ぞ知る程度の人物。ミュンヘン一揆を起こした「ヒトラーってなにもの?」（左頁）として、さまざまな顔のイラストを並べた週刊誌の揶揄の記事もあったくらい知られていなかった。そんな人物が突然クーデターを起こしてもうまくいくはずがない。ヒトラーは、狭い世界での大将だったことに気づいたのだった。

そこでヒトラーは、大衆の支持を得て正攻法で権力掌握をめざすことにした。ただし、正攻法といっても、表向きで、暴力装置としての突撃隊は鉄砲玉として残しておいた。この方針転換によって、ナチ党は、単なる暴力組織ではなく、一政党として統治のための政治戦略を練っていくこととなった。

そういえば、二〇二一年夏にアフガニスタンの権力を掌握したタリバンは、脅すことしかやってこなかったので、今は、統治・国づくりのための行政も含めたさまざまな技術者の必要性を痛感しているはずだ。

ともかく、ナチ党の政治戦略とは、反ヴァイマール（反ヴェルサイユ条約）、反マルクス主義、反ユダヤ主義、「反」ばかり。これだけでは大衆の圧倒的支持を得ることなど到底できない。そこに、世界恐慌という大不況が降って湧いた。ヒトラーにとっては大僥倖である。大衆の現状への絶望・

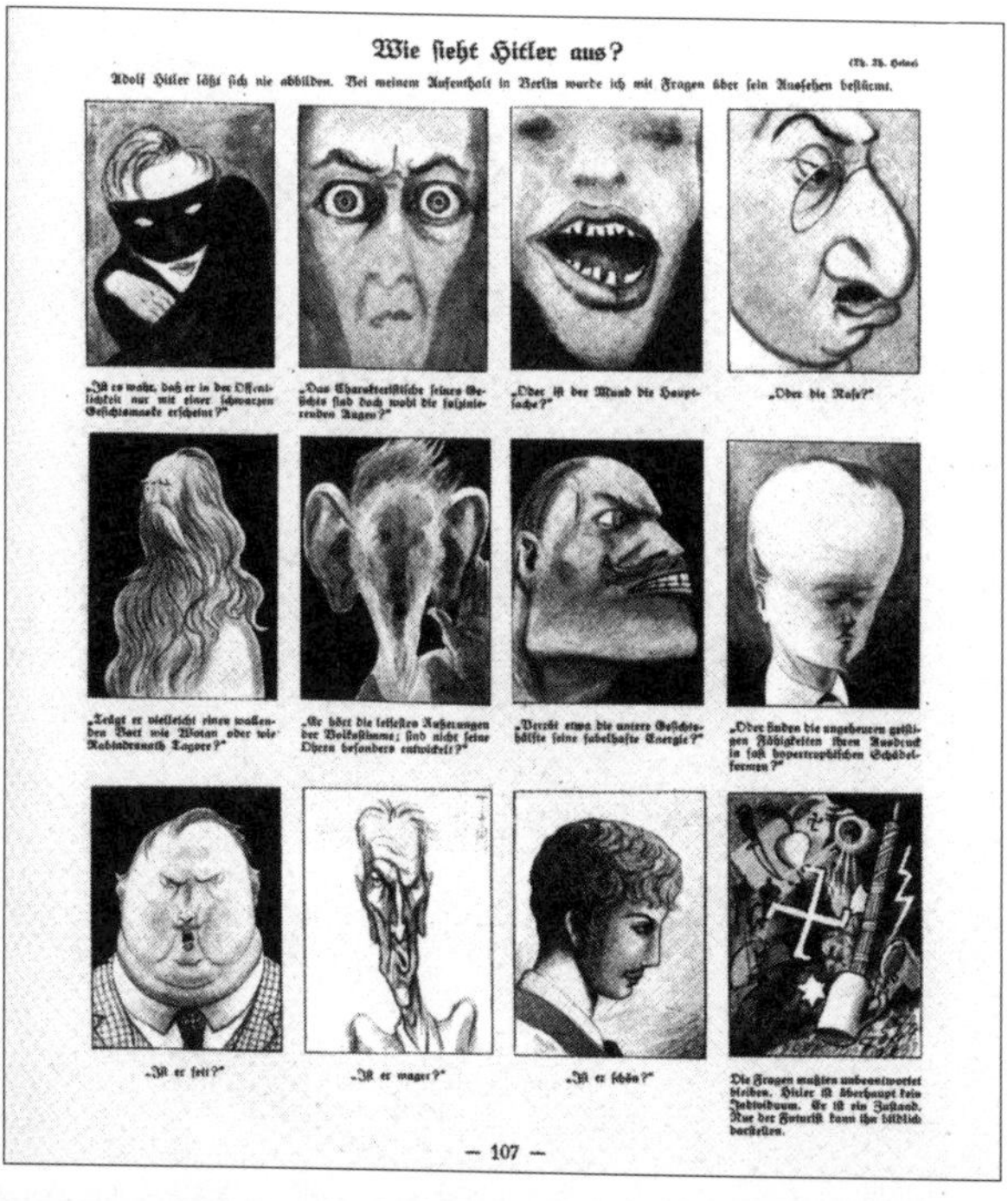

ドイツの週刊誌に掲載された「ヒトラーってなにもの？」1923。

失望がナチ党を押し上げ、増長させる要因となった。

　こうして、汚い手も使いつつ、一九三三年に権力を掌握すると、独裁制を固めるための方策を繰りだす。とくにこだわったのが、国民から「承認」を得ること。承認さえ得られればすべてが許される、不祥事があっても選挙で当選すれば「禊《みそぎ》は済んだ」と放言する国会議員たちの源流でもある。

　そのためヒトラーは、事あるごとに選挙で国民の「承認」を求めた。それも、「ヤー（独Ja、英語のyes）」の文面をそのまま使い、文字通り「イエス」を求めた。民

上）「労働者はヒトラーを支持する」ドイツ労働戦線ポスター、1933。労働組合を解散して労働戦線をつくったのがナチスだからまさに手前味噌。
下）ヒトラー政権誕生前の1932年と比べて、これだけ領土が増えたことを誇示する「（これからも）頼むぞ、ヒトラー！」ポスター、1936。

主的な手続きを経ているふりである。

まず国民から支持されていることを装うために、政権奪取と同時に労働組合を解散し、ナチス自前の労働組合「労働戦線」を結成しておきながら、ポスターでは、「労働者はヒトラーを支持する」（右頁上）。ナチ政権前と現在までの四年間の国への貢献の誇示、「（これからも）頼むぞ、ヒトラー！」（右頁下）。

このヒトラーの四カ年計画は、軍拡と戦争に向けての自給自足体制の確立をめざしたものだったが、好景気になって、失業者が減るどころか、逆に、労働力不足が顕在化した。それを補うためには侵略・占領して、奴隷労働者を確保するしか解決の道はない、という本末転倒のような問題に直面してしまった。

「みんながいう、ヤーと」

第一次世界大戦後、ヴェルサイユ条約で、ドイツとフランスの国境地帯にあるザール地方は国際連盟が一五年間管轄することに

ドイツとフランスの国境地帯、ザール地方、1920～35まで国際連盟が管理し、それが終わった1935年、帰属国を決めるための住民投票がはじまった。ドイツ帰属に反対する動きにたいして「わたしたちはあなたたちのために死んだ。それを裏切るつもりか?」ポスター、1935。

なっていたが、管轄期間が終了した一九三五年、住民投票でドイツ帰属が決定した。このときにナチスがつくったドイツ帰属を促すポスターが、「わたしたちはあなたたちのために死んだ。それを裏切るつもりか？」（前頁）。第一次世界大戦のドイツ兵の戦死者をダシに使った脅迫である。

そして前述した「Ja」ポスターは、一九三八年、ドイツとオーストリアで実施した国民投票で登場する。一九三八年に、ドイツ民族を守るという（どこかで聞いたような）口実でナチス・ドイツは隣国のオーストリアを併合する。その是非をめぐった国民投票だ。

まず、投票用紙からして、イエス（Ja）を記す円がノー（Nein）の円より、イエスを強要していると思えるほどはるかに大きい（下）。

ポスターでも、イエス欄にチェックの入った投票用紙を指さし、「Ja！」の文字（左頁上右）。ヒトラーの顔写真とともに、Jaにチェックの入った投票用紙を並べ、「総統を支持するなら『Ja』にチェックを入れよう、矢印のここに記入しよう」（左頁上左）。例のナチス式敬礼をしている人びとの写真とともに「みんながいう、『Ja』と」（左頁下右）。同じくナチス式敬礼とともに「偉大なるドイツ、『Ja』」（左頁下左）。ヒトラーの軍服姿に「Ja」のみ（190頁上右）。まさに承認強要の

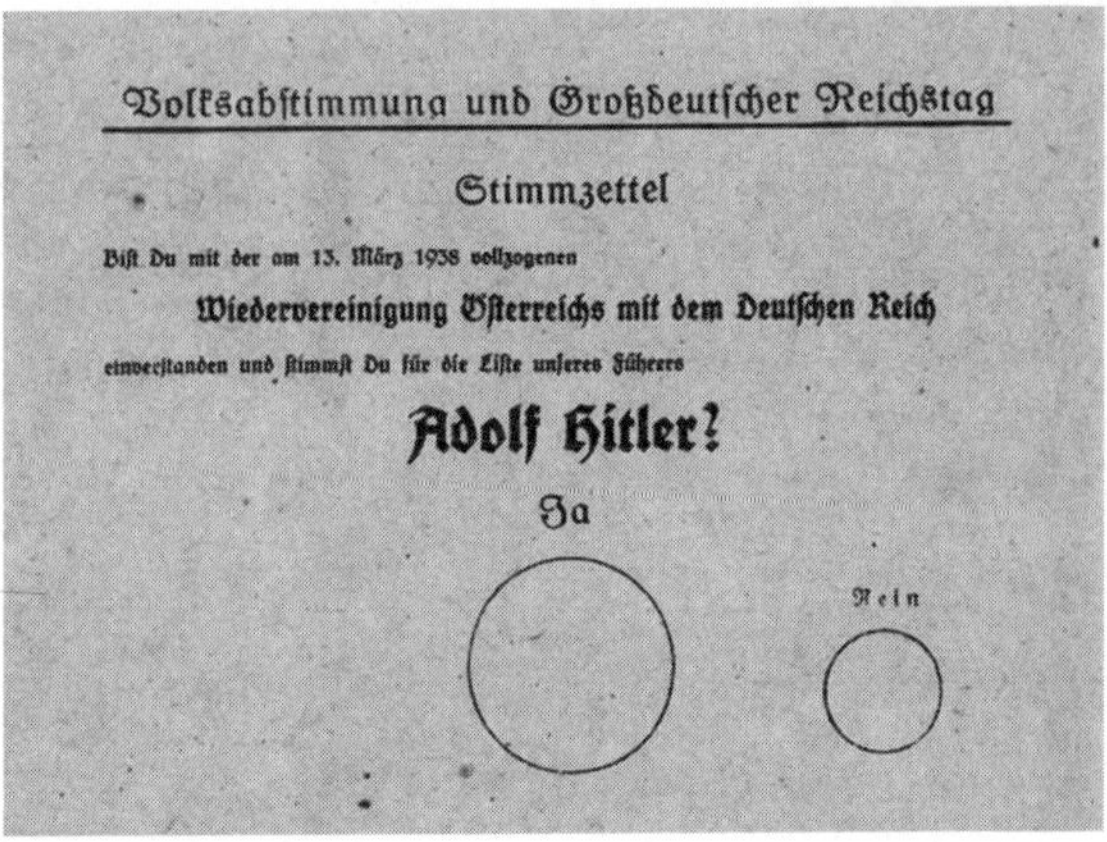
Volksabstimmung und Großdeutscher Reichstag

Stimmzettel

Bist Du mit der am 13. März 1938 vollzogenen

Wiedervereinigung Österreichs mit dem Deutschen Reich

einverstanden und stimmst Du für die Liste unseres Führers

Adolf Hitler?

Ja

Nein

オーストリア併合の是非を問う国民投票の投票用紙、1938。「イエス」のほうの円が「ノー」より大きい。

オーストリア併合キャンペーン・ポスター。すべて1938。

上右）投票用紙の「イエス」欄にチェックを入れた「Ja！(イエス)」ポスター。

上左）「総統を支持するなら『Ja』にチェックを入れよう、矢印のここに記入しよう」。

下右）「みんながいう、『Ja』と」。

下左）「偉大なるドイツ『Ja』」。

上右）オーストリア併合キャンペーン・ポスター「はい！」1938。

上左）ヒンデンブルク大統領が死去し、ヒトラーが国家元首になったことにたいする是非を求めた国民投票ポスター「はい！　はい！　はい！」1934.8.19。

下）ローマのファシスト党の本部のあったブラスキ宮に飾られたムッソリーニの立体看板、1934。「SI（はい）」で埋め尽くされている。

ラッシュである。

その結果、投票率なんと九九％、支持率九八・八％と独裁者にとって最高の数字を得た。もちろん結果がすべてで、強要したことなどはこの際関係ない。ただし、こんな状況下で、一・二％の反対があったことこそ特筆すべきことかもしれない。

承認欲求が強いのはヒトラーだけではない。ムッソリーニも「Si（イタリア語、英語のyes）」を連発している。ヒトラーは、政権奪取後の翌年一九三四年に「Ja!」だらけのポスター（右頁上左）をつくっているが、ムッソリーニもファシスト党のオフィスのあった建物の壁面にムッソリーニの巨大なレリーフの周りを「Si」で埋め尽くしている（右頁下）。ここまで並べてくると、ＳＮＳの「いいね」を求めるのと同質の香りがしてくる。いいかえれば、「いいね」集めに狂奔したヒトラーもムッソリーニも、狩猟採集民の遺伝子を受け継いでいるという意味で、伝統回帰ともいえる。

「命は鴻毛《こうもう》より軽し」

心理的に圧迫する表現の主役は、今もことばによる暴力である。今のいい方では「口撃」だ。世界的にみても、ＳＮＳで誹謗中傷に遭い、自殺した人も少なからずいる。それほどことばによる圧力は強い。

太平洋戦争のときのスローガンによる口撃には、まさに生死を分けたものもあった。

「（身を捨てて）尽忠報国」や「一死報国」、「心残りなし、万歳で散る覚悟」などは残酷にも死ぬことを賛美している。聞き流せば実害が少なそうだが、司馬遷のことばから援用された「命は鴻毛より軽し」は、スローガンというよりも躊躇《ちゅうちょ》なく死地に赴かせるための都合のよい洗脳語。イスラム過激派の天国話（後述）と大差ない脅し文句である。太平洋戦争のとき、兵士の命の値段は、召集令状の切手代にすぎないともいわれた。悲しいかな、実際にその通りのことが起きた。

こうした人の命を軽んじることばをストンと心に浸み込ませ、恐怖心を減少させるために、出撃前の特攻隊員に覚醒剤「ヒロポン」（「疲労」がポンと回復するところから名付けられた）を打った、という話もある（ヒロポンは戦前から興奮剤として売られていた）。ヤクザの鉄砲玉（ヒットマンの別名、行ったきり戻ってこない）も勢いをつけるために覚醒剤を打って事に及んだという。特攻隊員とヤクザの鉄砲玉はほとんど同じというところがつらい。

先行して覚醒剤を使っていたのはナチス・ドイツ空軍だが、アメリカ軍も、第二次世界大戦、ベトナム戦争、湾岸戦争と覚醒剤・マリファナを兵士に使い続けていたらしい。

ヒロポンは、菊の紋章が刻印されたチョコレート・タバコ・日本酒、あるいは直接注射などといったかたちで特攻隊員に与えられた。日本酒の呼び名は「元気酒」だ。

結局、ドイツの勝利頼みで勝ち目のない戦争に邁進した大本営の罪は大きい。大本営は、亡国ともいえる一億総特攻に賭ける。全員特攻を唱えた宇垣中将は、天皇の玉音放送直後、部下を道連れに、特攻の名を借りた勝手な自爆攻撃に向かった。出撃のときに「ひとりで死ね」と叫んだ豪の整備士もいたらしい。命は鴻毛よりも軽い。

戦後大量に余ったヒロポンは市中に流出した。そして、一九五一年に覚醒剤取締法が制定されるまで、多くのポン中（ヒロポン中毒者）を生んだ。人間を蝕んだ戦争の罪は戦後も続いたのだった（下）。

ちなみに、「クスリ（覚醒剤）やめますか？ それとも人間やめますか？」のコピーは、一九八〇年代にCMで頻繁に流れた覚醒剤撲滅キャンペーンのスローガンのひとつ。駅構内にもこのコピーが記されたポスターが貼られていた。かなり刺激的で、心当たりのある人には、心理的圧迫が強かったと思う。

しかし、薬物依存は紛れもない病気であり、「人間やめますか」という人格を否定する表現は、人権問題として、二〇一七年、報道倫理上使用禁止となっている。

「生きて虜囚《りょしゅう》の辱《はずかしめ》を受けず」

もうひとつ、大きな罪過を残したスローガンがあった。「生き

戦前からあったヒロポンの広告。

て虜囚の辱を受けず」である。

人を殺傷できる武器を持った人間は必ず腐敗する、の典型的な例が軍隊にみてとれる。中国戦線で、中国人への目に余る（皇軍とおだてられた）日本兵の残虐・不法行為を抑えるため、一九四一年、陸軍は、当時の陸軍大臣、東條英機の名のもとに、綱紀粛正を記した戦陣訓を全陸軍に通達した（下）。わざわざ注意しなければならないほど兵士の行状がひどかったのだ。そこにこのスローガンが含まれた。

このスローガンは、敗色が濃くなった太平洋戦争後半に威力を発揮した。東南アジアでの戦闘では、多くの兵士が、捕虜になるくらいなら、と死を選んだ。沖縄戦では、「軍民一体の戦闘協力」なる一方的で勝手なスローガンで沖縄県民の多くが徴用された。「生きて虜囚の辱を受けず」のスローガンのもと、投降が許されなかった。

一方で、日本兵による差別意識などから、スパイ容疑で殺された住民も多かった。さらに近年も、沖縄の米軍基地建設警備に派遣された大阪府警の機動隊員が、建設反対の住民に向かって「この土人が！」ということばを使った。差別意識はときがいくら経ってもなくならない。

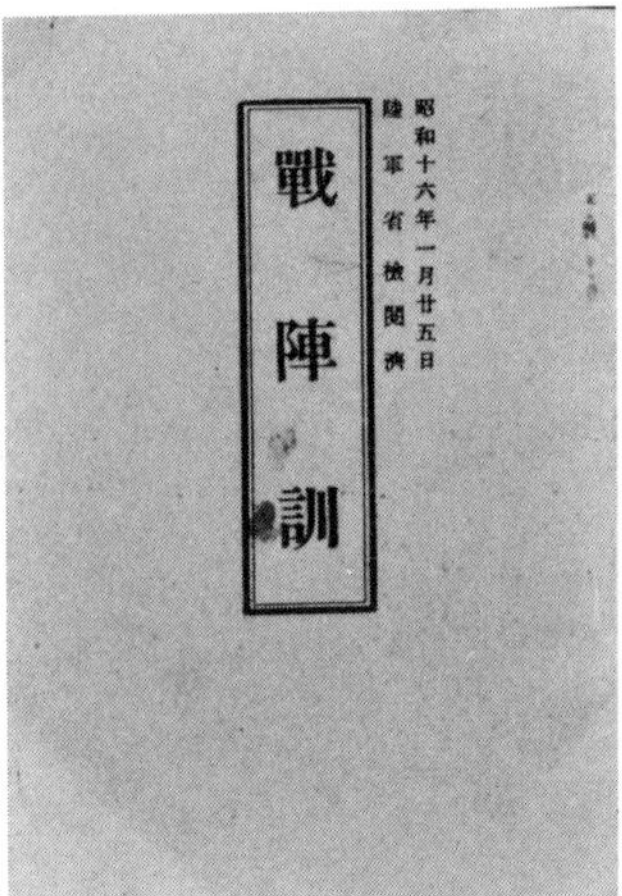

陸軍大臣東條英機が全陸軍に伝えた戦場での心得集、1941。捕虜になるくらいなら自決しろ、と教えている。

また、自決した日本軍守備隊のトップ牛島中将の最後のメッセージにこのスローガンが含まれていた。スローガンを盲信した敗残日本兵によって多くの住民が殺されたり、自決させられたりした。しかも自分の家族を手にかけるという、過酷ということばだけでは語れない状況も生まれた。

結果的に民間人も巻き込むこととなった沖縄作戦を立案した、元大本営参謀のひとりは、作戦は成功だったと戦後述べた。米軍の日本本土侵攻を少し遅らせられたからだ、と。まさに戦争はゲームであり、命は鴻毛よりも軽い。沖縄の住民は「捨て石」にされたのだった。

「捨て石」といえば、国策のもとに満州に移民した開拓民もそうだった。ソ連の侵攻がはじまった満州では、民間人を助けず、関東軍はさっさと逃げてしまった。これにはどんないい訳があったのだろうか。

開拓民は、結局、中国人からは侵略者といわれ、ソ連軍に追われ、助けてくれるはずの日本軍は逃げ、集団自決せざるをえなくなった人びともいた。生き延びさせるために中国人に労働力として売られた子どもたちもいた。戦後かれらは、中国残留孤児と呼ばれた。

日本はこの戦争以降、自国民を助けない国になってしまった。

「反乱を起こすとしたら軍人じゃないか」

第二次世界大戦の独ソ戦の最大の激戦のひとつ、スターリングラード攻防戦（一九四二～四三）の狙撃手の戦いを描いた映画『スターリングラード』（ジャン＝ジャック・アノー監督、二〇〇一）で衝撃的シーンがあった。突撃して逃げ帰ってくる赤軍兵士を赤軍将校が「戻るな！」と叫んで撃ち殺していたのだ。これが本当なら最低の軍隊だな、と思った。しかしこれは、スターリンの命令にしたがったものだった。

独ソ戦は、双方とも莫大な損失を被った。殲滅戦ともいえるほど過酷な戦いだった。そもそもスターリンの失策がなかったら、一気にモスクワ近くにまでドイツ軍は進撃できなかっただろう。

スターリンは、「誰かが反乱を起こすのじゃないか」、「反乱を起こすとしたら軍人じゃないか」などという、独裁者にありがちの強い猜疑心・妄想に囚われていた。

そして、ロシア革命後の内戦で勲功があろうとなかろうと軍人たちを手当たり次第粛清しはじめた（一九三七）。粛清は一般党員にも及び、指導層がほぼ絶滅させられた。ほとんどが、前述した「第五列」（日本やドイツのスパイ）と罵られ、屈辱を与えられて処刑された。おそらくすべて冤罪である。一方で恐怖支配を徹底させるためのみせしめという説もある。

普通は、こんなことしたら罰が当たると思いたいところだが、スターリンは脳卒中による病死。ただし、すぐ発見されれば助かったかもしれない。スターリンの寝室は、完全に隔離されていたので、発見が遅れた。睡眠を邪魔して罰を受けることを恐れた護衛兵、スターリン死後の権力関係しか頭になかった側近、などスターリンの人徳のなさがあらわれていて、これが罰といえるかもしれない。

ともかく、このスターリンの大粛清でソ連軍は、弱体化し、ソ連の社会・経済も混乱した。粛清を担当した内務人民委員部（ＮＫＶＤ＝エヌカーヴェーデー）のほとんどもこの混乱の責任をとらされ、一九三八年に粛清された。粛清と無関係だったのはスターリンだけだ。

この大粛清は、独ソ戦がはじまる約一年半前のことで、ソ連軍の戦争体制は間に合わず、緒戦の敗退につながった。しかもスターリンは、ドイツが侵略してくるかもしれない、という事前情報を信じなかった。部下を信用していなかったから。

「一歩も下がるな！」

この失策を糊塗するかのように、スターリンは、スターリングラード攻防戦がはじまって一カ月後の一九四二年七月、「ソ連国防人民委員令第二二七号」命令、通称「一歩も下がるな！」命令を発令した。主に将校たちに向けて、退却したら軍法会議にかけて銃殺か、生き残る確率がかなり低い懲罰部隊いき。映画『スターリングラード』で上官が逃げてきた兵士を撃ったのも、撃たなければ自分が殺されるからだ（下）。

もちろん、捕虜になっても同罪。国家にたいする裏切り者として、もし運よく逃げ帰ってきても懲罰部隊か極寒の地の収容所に送られる、もしくは生き残れない地雷除去部隊いき、最悪銃殺が待っていた。いずれにせよ、死ぬまで、最前線にいかされた。

スターリンですら、捕虜になった自分の息子ヤーコフを拒否した。部下に示しがつかないからではなく、もともとスターリンはヤーコフに冷たかった。ドイツ軍は「スターリンの息子ですら生き長らえているのに、死ぬ必要はない」という伝単でヤーコフを利用しようとした（左頁）。伝単をみたスターリンは「自分を困らせるためにわざと捕虜になった」と息子を非難し、家族も同罪で裏切り者だとしてヤーコフの妻を収容所に、スターリンの孫娘を孤児院に送った。どこまでも人非人のスターリンだった。ヤーコフの妻ユーリャは、ユダヤ人ということで反ユダヤ主義者のスターリンには耐えられなかったが、それ以上にユーリャの前夫は罪名不明ながら逮捕されていた。それだけでユーリャはもちろん、そんな女性と結婚したヤーコフまで、スターリンは信用しなかった。

「一歩も下がるな！」記念切手。

ただし、ヤーコフが捕虜収容所で自殺とも思える死に方をしたとき、さすがのスターリンも落胆し、ヤーコフの妻を収容所から釈放したのち、しばしば送金をしていたという。スターリンの数少ない人間的な逸話である。

ともかく、独ソ戦の緒戦でソ連軍が苦戦したのも、前述したように、もとはといえばスターリンの失策からはじまったわけで、その全責任をソ連軍全兵士にとらせた恰好となった。

懲罰部隊に入れられた空軍兵も、戦死するまで執拗に出撃させられたという。日本軍でも、特攻で「必ず死んでこい」という理不尽極まりない命令のもとに出撃し、天候不良や戦闘機の故障などで帰還しても、死ぬまで特攻出撃させられた。やはり、人非人じゃなければ戦争なんてできない。いや、戦争が人を人非人にする。

スターリン個人は罰を受けなかったが、スターリンの死から三年後、ニキータ・フルシチョフが、粛清にたいする断罪も含めた「スターリン批判」を党大会で発表、ソ連はもちろん、世界の共産国に激震が走った。この「批判」は「フルシチョフ報告」として、全国の共産党支部に、複製禁止、要返却で送られた。この報告書は「赤い」表紙の

独ソ戦初期にドイツ軍が赤軍将兵に向けて撒いた伝単、1941。「スターリンのために血を流すな！　かれはすでにサマーラに逃げた！　かれの息子も投降している！　スターリンの子がながらえているのなら、諸君も命を投げ打つな！」と、ヤーコフが捕虜になった旨が書かれている。

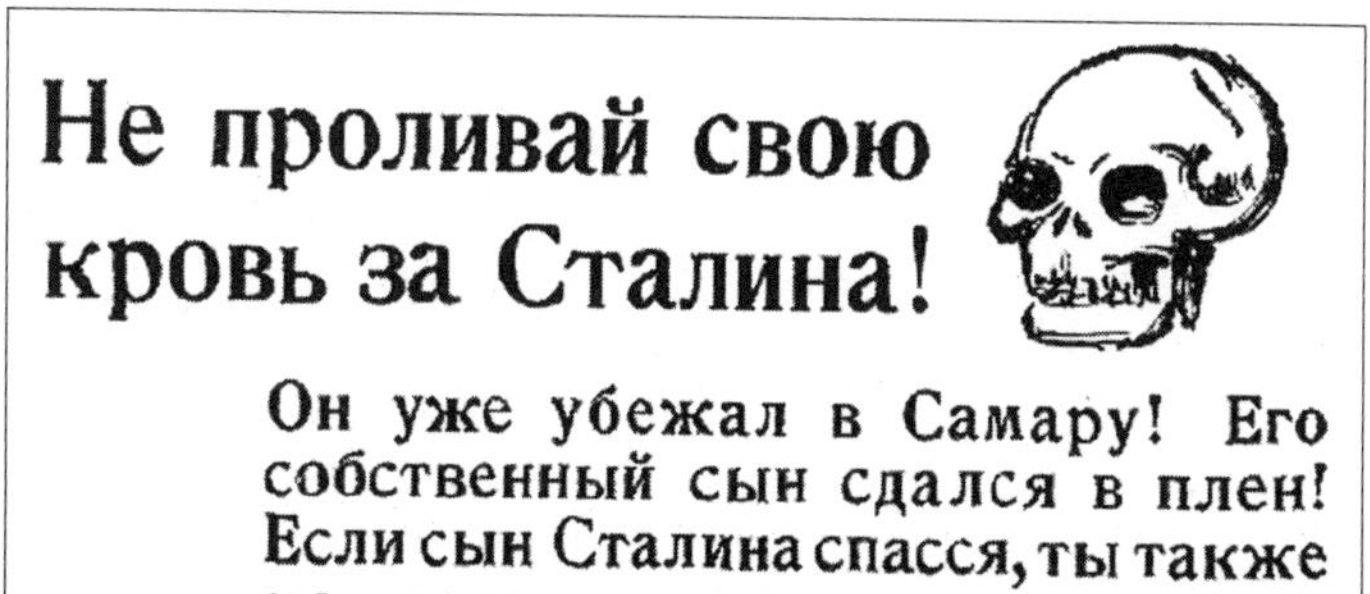

ソ連の「ドイツ軍は墓場に前進！」ポスター、1943。カリカチュアをつくる側にとってハーケンクロイツは恰好の材料である。

パンフレットとして知られている。

一方、ヒトラーも、このスターリンの「第二二七号」命令以前の、独ソ戦が最初に迎えた冬の一九四一年一二月に、ドイツ軍高官たちの反対を押し切って「死守」命令をだした。ヒトラーの命令なくして退却してはならない、である。

結局、ドイツ軍は、ソ連軍のまとまりに欠けた攻撃に救われて、形勢を盛り返したが、ヒトラーは、自分の死守命令のおかげだと勘違いし、その後の戦いに、ヒトラーの命令は絶対だ、という盲信を将軍たちに押し付けた。悲劇のはじまりである（大木、前掲書）。

「ユダヤ人には次のことを禁ずる」

スヴェトラーナ・アレクシエーヴィチ『戦争は女の顔をしていない』のなかに、独ソ戦の緒戦で、ドイツ軍に占領されたソ連のウクライナの村々での出来事をひとりのユダヤ人女性が告白している。

ドイツ軍は、早速厳しいユダヤ人差別を行った。そのせいか、それまで「ユダヤ野郎（ジュー）」なんてことばは聞いたことがなかったが、村人の多くは、本心かどうかはともかく、平気で「ジュー」というようになってしまった。

ドイツ軍による布告には「ユダヤ人には次のことを禁ずる――歩道を歩くこと、美容院へ行くこと。店でなにかを買うこと、笑うこと、泣くこと」（アレクシエーヴィチ、前掲書）と。つまり、なにをしても違反になる。家のなかでひっそりしていることだけが許されたのだった。

ある女性の父も母も、いつものようにでかけ、この布告違反で射殺された。女性はユダヤ人だったが黒髪ではなく、金髪でユダヤ人らしくなかったので告発されず、村から逃げてパルチザンになった（アレクシエーヴィチ、前掲書）。「みた目」が生死を分けるほど重要だった。

「しーっ」

ソ連に、第二次世界大戦から戦後にかけて活躍したニーナ・ワトリーナという画家がいる。戦時中のワトリーナが描く女性は、常に赤いスカーフを頭に巻いているのが特徴だ。

彼女の作品の一枚に、女性が唇に指を当てて、「しーっ」とやっているしぐさのポスターがある。「しゃべるな！　警告する。壁に耳あり。おしゃべりは、叛逆の一歩」と記されている（左頁、一九四一）。

共産圏では、この「しゃべるな！」ポスターは、情報統制の一環として一般的。独裁体制や共産圏では、基本的に国民を信用していない。「国家機密を漏らすな」「スパ

ワトリーナの独ソ戦での情報統制警告ポスター「しゃべるな！」1941。

右）ソ連のアゼルバイジャンの警告ポスター、1942。
左）ポーランドの警告ポスター「国家機密を守れ」1951。

イに気をつけろ！」である。しかし、もともと一般の国民が、漏らさなければならないほどの機密に触れる機会なんかめったにない。

日本ではこの「しーっ」ポスターは、さすがにつくられなかったが、標語として「スパイ用心」「漏らすな軍機」というのがあった。

映画『この世界の片隅に』（片渕須直監督、二〇一六）では、主人公のすずが、呉港を丘の上から写生していたら、憲兵らしき兵隊がすかさずやってきて拘束しようとするシーンがあった。呉は軍港なので国家機密だった。このように知らずに国家機密に接してしまう場合はあるが、今のＳＮＳの時代と違って、その気がなければ機密に接することも漏らす情報もない。

しかし、ワトリーナが描いたソ連の「しーっ」ポスターは、表向きは、国家機密を漏らすな、スパイに用心だが、実際は、スターリンや体制批判をすると取り返しのつかないことになるからしゃべるな、みな背後で聞いているよ、というスターリン批判を封じるための警告・脅迫ポスターだった。

だからスターリンの悪口をいうときは、二人のときに限られた。三人いたら三人目が密告するから（アレクシエーヴィチ、前掲書）。

「すべての国民は殉教の訓練を受けなければならない」

二〇二一年八月、イスラム過激派タリバンが、アフガニスタンを制圧した。タリバンは、麻薬ビジネスで活動資金を得ていたばかりではなく、意にそぐわない者の殺害、財産の強奪、女性の人権を蹂躙してきた。宗教の名を借りた、紛れもない不法集団が国家を宣言して二度目の統治をはじめた。しかし常識的には、統治をはじめる前に、少なくとも、以前の五年の統治期間の不法行為と、この二〇年間に犯した無差別テロの償いが先だろう。

タリバンは、女性の権利は守るといったが、解釈の仕方でいかようにもなる

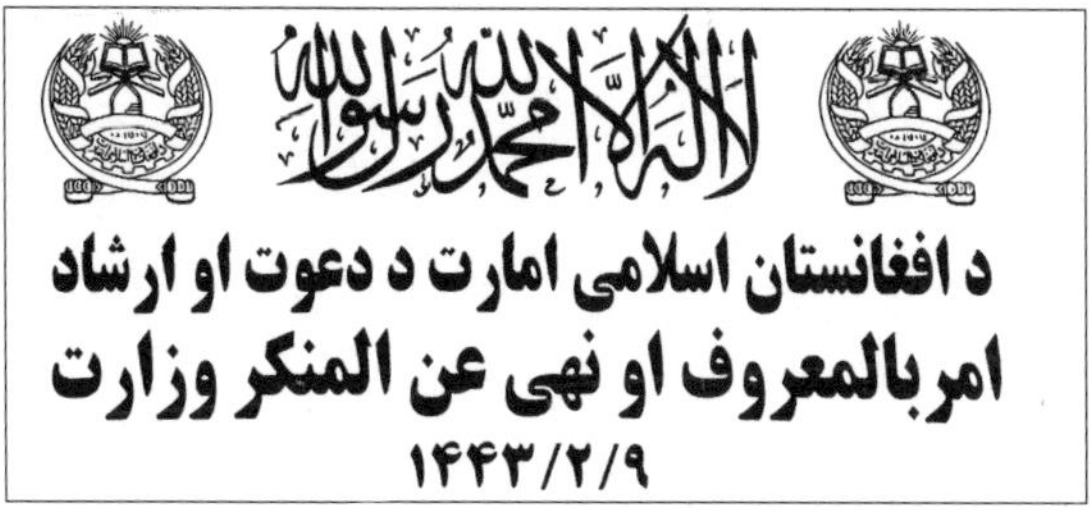

勧善懲悪省の看板。

イスラム法（シャリーア）の範囲内でというから、女性の最低限の人権すら危うくなる。二〇年前に女性の権利を侵害した「勧善懲悪省」なる聞くだに恐ろしげな宗教警察という抑圧機関を復活させたのも危惧を高める（前頁）。

　タリバンは、政権奪取直後、首都カブールの美容院の前に大きく貼り出されていた女性の顔写真のあるポスターの目・口の部分などを黒く塗り潰した（下、顔を塗り潰したのもあった）。タリバンの末端兵士の暴走かもしれないが、タリバンによる女性への警告とみなしてもよいだろう。

　タリバンは、女性をひとりの人間としてみなしていない、なんとも反時代的な考え方をしているが、欧米の価値観を全否定しているので説得するすべはない。とはいえ、欧米の価値観という以前に、女性の人権も含めた「基本的人権」は人間としての権利であり、宗教よりも上位に位置すると思えるが、これも無駄な繰り言かもしれない。

　そしてタリバンは、「すべての国民は殉教の訓練を受けなければならない」として、自爆テロ犯として育てられた宗教学校の神学生たちの殉教志願者が、力を誇示し、敵

アフガニスタン、美容サロン入り口の目・口が黒塗りされた写真、2021.8.19。

対グループを牽制するためにパレードした（下）。スローガンに倣えば、「一億総特攻」ならぬ「四千万総特攻」である。なんとも恐ろしい。

殉教（自爆）志願者のドキュメンタリーを観たことがある。かれらは、死んだら天国にいける、そこには自分のために多くの女性が待っていてくれる、と本気で信じていた。セックス依存症とも思えるこの天国話が都市伝説ではなかったことに衝撃を受けた。だれが最初にいいはじめたのか、天国は、大奥か後宮、ハーレムなのだ。なかには生まれたばかりの子どもがいるのに殉教の順番待ちをしている男もいた。宗教的理念で自爆するのではなく、ハーレム天国にいきたいだけなのか、と勘ぐりたくなる。

といっても、自爆犯に殺された人びとも天国にいくとしたら、被害者による加害者への復讐が天国ではじまるかもしれない。いや、都合よくさまざまな天国があって、被害者と加害者が出会わないシステムになっているのだろうか。完全なトートロジーに落ち込む。

いずれにせよ、合理的な説明を求めようとすれば不信心者と誹《そし》られるのがオチ。ともかく天国は男しかいけないところのようだ。女性にも自爆犯がいる。たいてい戦闘などで夫を失った未亡人。天国に居場所のない彼女たちは、彷徨い続けるしかない。男尊女卑の闇はどこまでも続く。

タリバンが支配するアフガン国営テレビ「RTA」が放映したタリバンの殉教志願者たちのパレード、2021。

「シャリーアに違反するものは容赦しない」

このような女性を締め付ける戒律に疑問を持たないイスラム教徒の女性も多い。あきらめているわけではなく、そういうものだ、と思っている。しかし、こんなルールは耐えられないと抗議の意思表示をしたら、殺されかねないのも現実。今のことばでいえば、ミソジニー（女性嫌悪）、フェミサイド（女性であるということに端を発した殺人）。

最近の日本でも鉄道車内で、幸せそうな女性を殺したいとした刺傷事件があった。全世界でも少なからずフェミサイドは起きている（イスラム過激派、トルコ兵、シリア兵、ロシア兵などきりがない）。女子教育禁止に反発した投稿をしたとして、ノーベル平和賞をのちに受賞したマララ・ユスフザイさんはイスラム過激派に殺されかけ、運よく助かった。とはいえ、ぼくたちの当たり前は西洋的発想だとして切り捨てられる。

イスラム過激派の発想には、ナチズム、スターリニズム、マオイズム、そしてプーチニズムに通じる異分子・逸脱者排除が潜んでいる。つまり、味方か敵（異分子）の二項対立である。中間のあいまい領域はすべて敵になる。しかも容赦せずに無慈悲に排除するのが特徴。かなりシステマティックで、ナチ強制収容所におけるユダヤ人の生死の選別を思いだすが、それが全体主義・専制主義というもの。

ナチスは、アーリア民族のためにならないもの、とくにユダヤ的なものは芸術も含め徹底的に排除しようとした。その先にホロコーストがあった。スターリンは、社会主義に貢献する作品のみをアートと認め、抽象表現は許さなかった。自分の権力維持に役立たない人間は、忠実な部下ですら粛清した。毛沢東は、自分の権力維持に邪魔な人間、自分に意見する人間を、たとえ戦友ですら粛清した。

そういえば、中国の習近平は社会主義的価値観として「正しい文化」を最近唱えはじめた。なにが「正しい」のかを決めるのは習近平だ。

イスラム過激派は、七世紀の預言者ムハンマドの教えを、類推を加えず字義通りに解釈しようとするが、七世紀の文言なので、解釈がいくつにも分かれる。しかし、自分たちの解釈と少しでも違う人・宗派には暴力をもって排除、改宗させようとする。

今回の「プーチンの戦争」でも、プーチン大統領は、異論の排除と、身勝手な論理による侵略の正当化など、独裁者の振る舞いのセオリーどおりの動きをしている。そして、敵を「ナチス」と非難しているにもかかわらず、「ナチス」と同じ蛮行を繰り返している。

多様性とは真逆の、同質の徹底を求めることが対立を生む。

今日、ＳＮＳでも異分子・逸脱者にたいしては容赦ないことばが襲いかかる。ＳＮＳは、人類にとって非常に有益なコミュニケーション・ツールだったはずだが、少しの悪意で崩壊しかねない。近代的価値観が一般的になっても人間は変わらないということなのだろうか。やはり、人類の共通言語は、悪意のあることばも含めた「暴力」であることは間違いない。

「われわれが指導する」

監督の実体験を元にしたとされる映画『パピチャ　未来へのランウェイ』（ムーニア・メドゥール監督、二〇一九、アルジェリアでは上映禁止）は、一九九〇年代のイスラム過激派が台頭したアルジェリアが舞台。ファッション・デザイナーになる夢を持つヒロインは、日々女性に加えられる抑圧に反発を感じている。

「パピチャ」とは、アルジェリアのスラングで、「愉快で魅力的で常識にとらわれない自由な女性」、要するに、男尊女卑の強いイスラム圏では得がたい憧れの女性像のことらしい。

イスラム過激派は、コロナ・ウィルスのように社会の活気を奪う。女性は男性の付属物と考えられているから、女性の権利も奪う。夢を抱き、それに向かって努力することすら女性には叶わない社会、間違っていると思ってもいいだせない空気が支配する社会である。

「女性の正しい服装」と題して、全身を黒の布で覆った女性のイラストが描かれたA4判くらいの大きさのポスターが街のいたるところに貼られている（左頁）。そこに

は、「黒いヴェールに身を包むべし、そうでなければわれわれが指導する」と書かれている。この「指導する」には「殺す」という脅しも含まれる。

実際映画では、女性の権利向上について発言していたヒロインの姉のジャーナリストは、黒いヴェールで身を包んだみず知らずの、おそらくイスラム原理主義者と思われる女性に突然射殺される。女性同士のなかでも分断は進んでいる。

町の検問所では、イスラム教教義に違反していないかどうかを、銃を携行した兵士が日常的に、しかも威圧的にチェックしている。難クセをつけるためにいるかのようだ。笑顔はなく、対話も求めず、どなりちらす。たしかにかれらは、その場では最悪の権力者だ。

バスのなかでは、ヒジャブ（女性が頭などを覆い隠す一枚の布）をしていない女性にヒジャブをつけろと脅して、わざわざヒジャブを配る男もいる。ヒロインは嫌気がさしてバスを降りる。

全身に黒のヒジャブなどを纏った女性の一団が、学校のフランス語の授業に乱入し、外国語ではなくアラビア語を教えろ、と絶叫する。

上）映画『パピチャ　未来へのランウェイ』より、
街のいたるところに貼ってある「女性の正しい服装」ポスター。

また、女子寮では、性衝動を抑えるとされる臭化カリウムが混入された牛乳を女学生に飲ませる。彼女たちが抗議してもなにも変わらない。

若い男にも男尊女卑教育が染み込んでいて、女性への暴力も躊躇《ためら》わない。イスラム過激派は、人間社会を悪に満ちているとみなす性悪説に基づいている。

そんな状況下での大量に貼られたポスターの心理的圧力はきわめて強い。

「アラーのほかに神はなし」

最後にイスラム過激派の旗について。これにもダビデの星と似た疑問がある。

イスラム国（ＩＳ）の黒い旗には、白抜き文字で「アラーのほかに神はなし」と「アラー、ラスル（使徒）、ムハンマド」のカリグラフィーが記されている（左頁右）。「アラーのほかに神はなし」は、サウジアラビアの国旗にも使われている、イスラム教徒にとっては重要な聖句である。

旗の場合、裏からみると文言が左右反転してしまう、いわば聖句が変形してしまうので、二枚の旗を貼り合わせたり、透けにくい布を使ったりする（旗の裏は無地、ＩＳ旗の場合は黒地）などして、語句が左右反転しないように気を使っている。イスラム教は偶像崇拝禁止なので聖句は限りなく神聖なのだ。

その大事な聖句がイスラム国の蛮行で汚されてしまった。イスラム国の旗は、海賊旗やナチスの旗と同等の恐怖の印となっている。
　かれらの暴虐に遭ったイスラム教徒にとって、この旗に記された聖句は、その後の信仰生活に影響しないのだろうか。日に五回礼拝するイスラム教徒は、この聖句を日常的に唱えているに違いない。唱えるたびにイスラム国のことが思い浮かぶとしたら、信仰生活に破綻をきたしそうな気がする。イスラム国と同列になってしまう感じはしないのだろうか。

　イスラム過激派のテロ犯や自爆犯は、事前あるいは事後に必ず、イスラム教徒にとって身近で重要な聖句、「アラー・アクバル（神は偉大なり）」と叫ぶ。こうしたことで、街頭でのこの叫びは恐怖のはじまりを告げるものとなっている。タリバンの旗もそうだ。白地に黒のカリグラフィーでＩＳ同様聖句の「アラーのほかに神はなし、ムハンマドは神の使徒である」と記されている（下）。イスラム過激派と同列に扱ってほしくないと思っているイスラム教徒の、誇りを踏みにじるような行為に怒りを覚える人は少なくないだろう。

　タリバンの支配がはじまったアフガニスタンの首都カブールではいたるところにタリバンのこの旗がたなびいている。情報統制ならぬ思想統制、信教統制でもある。全体主義国家を描く映画のような既視感があるが、これが現実である。

ISの旗。

タリバンの旗。

コラム「嘘はまっぴら」

戦争は嘘と真実の戦いだ。自らの正当性を主張するためには嘘か真かは二の次。ゲッベルスは嘘を繰り返せば真実になる、と豪語していたが、「プーチンの戦争」でも、プーチン大統領をはじめ、ロシア政府高官たちは嘘を繰り返し、いくらほころびがみえても堂々としている。嘘には根気よく真実を突きつけ続けるしかない。

「嘘はまっぴら（キル・ライズ・オール Kill lies all＝嘘を皆殺しにしろ）」は、1974年、ニューヨーク、MoMAに展示されていた〈ゲルニカ〉（ピカソ、1937）に、アーティストでアート・ディーラーのトニー・シャフラジが赤のスプレーで落書きしたフレーズ。その前日にカリー中尉が仮釈放（自由放免）されたことへの抗議行動である。

カリー中尉（当時は少尉）は、1968年、南ベトナムのソンミで無抵抗の村人（赤ちゃんも含む）500人以上の虐殺の指揮をとった。生き残った村人の証言からアメリカ軍兵士たちは「キル・ゼム・オール Kill them all（皆殺しをしろ）」と叫んでいたという。シャフラジの「キル・ライズ・オール」はこのフレーズをなぞったもの。

軍上層部は、ベトコンを大量に殺害した（実際はベトコンはひとりもいなかった）功で、カリーを中尉に昇進させた。当時の米軍の昇進の必須条件のひとつがボディカウント（ベトコンの死者数）のアップである。

ベトナム戦争のとき、米軍の新兵訓練所ブート・キャンプでは、日常的にヘイト・ワードが連発され、新兵たちの精神は徐々に崩壊させられていく。映画『フルメタル・ジャケット』（スタンリー・キューブリック監督、1987）や、『タイガーランド』（ジョエル・シュマッカー監督、2000）で描かれていたように、兵士たちは、キル・マシンになるために、フルメタル・ジャケットを着せられた。

そのヘイト・ワードのなかで、執拗に指導教官から教えられることばが「キル・エニシング・ザット・ムーヴズ Kill anything that moves」。動くものはすべて殺せ、である。ソンミ事件は氷山の一角だったのだ。

そして1969年、ソンミの事件をメディアがかぎつけ、明るみになった。

カリー中尉の上官、（「殺せ」命令をだすことで有名だった）アーネスト・メディナ大尉は兵士たちにこのことばを命令したとされるが、かれは裁判で否定し、責任はすべてカリー中尉ひとりに着せられた。

といってもカリー中尉は、40カ月間の自宅軟禁の末に自由放免。任期中のスキャンダルを避けたいニクソン大統領は、カリー中尉が反戦運動のシンボルとなることを恐れ、幕引きを図ったのだった。

〈ゲルニカ〉は、スペイン内戦で、のちに独裁者になるフランシスコ・フランコ将軍が、共和国軍の中心地ゲルニカ爆撃をナチ・ドイツ空軍に要請し、その惨状に衝撃を受けたピカソが、映画のスクリーンのような巨大画面にさまざまな悲惨なシーンを描いた作品。

しかし、独裁者フランコ将軍がこの作品を認めるわけがなかった。〈ゲルニカ〉は、「人びとに自由が復活するまで」というピカソの依頼でMoMAに移管された。

NHKは、「アナザー・ストーリーズ『おかえり、ゲルニカ 祖国“帰還”までの16131日』」で現在のシャフラジにインタビューしている。それによると、シャフラジは〈ゲルニカ〉が大好きだった。しかし、ベトナム戦争に邁進しているアメリカで、この反戦作品がまったく機能していないことに失望していた。もう一度〈ゲルニカ〉の反戦のメッセージを人びとに届けたいとシャフラジは考えた。

そのため、ちょうどカリー中尉の仮釈放に合わせて、新聞のトップ・ニュースになるように、昼日中、公衆の面前で〈ゲルニカ〉にスプレーで落書きしたのだった。

シャフラジは大好きな〈ゲルニカ〉を傷つける意図はもちろんなく、赤いスプレーもすぐ拭き取れるものを選んだ。MoMAは告訴せず、シャフラジにお咎めはなかった。この事件で〈ゲルニカ〉はふたたび注目を浴びた。

しかし、今もって世界から戦争はなくならない。反戦のメッセージが必要な人（独裁者）に届いていないからなのだろう。

4 戦争とデザイン

「TASSの窓」通信469号ポスター「若いパルチザン女性兵士」、第二次世界大戦。アレクサンダー・バブノフ画。下の詩は、ヴァシリー・レベデフ・クマック。

ハルマゲドン

「人間が互いに憎み、愛し、恐れ、寄り集まって集団を形成し、その集団の団結と生存能力が他の集団との敵対のかたちで表現され、同時にそのような敵対によって維持されるものであるかぎり、戦争がなくなることはない。」（ウィリアム・H・マクニール『戦争の世界史　下』）

マクニールが述べたように、二〇二二年二月、ロシアがウクライナに侵攻することで「プーチンの戦争」がはじまった。侵攻を命じた独裁者以外の世界中の人びとは、まだ「戦争の世紀」といわれた二〇世紀なのか、と驚愕した。しかもロシアには、核爆弾が六〇〇〇発近くもある。地球を何回でも絶滅できる。その戦争をはじめたプーチン大統領は、最悪の場合核も使うと脅す脅迫者だ。「人類の突然の全面的な絶滅」（マクニール、前掲書）の危惧が本物となった。

一九六九年にシャロン・テート殺害事件などを起こしたチャールズ・マンソンは、ヒッピー系のカルト宗教教祖で、黒人が白人にたいして蜂起し、世界を支配しようとするハルマゲドン（最終戦争）を妄想した。六〇年代のアメリカでは、黒人の人権を求める運動が激化していたからだ。

　そしてマンソンは、その黒人による人種戦争勃発の日をビートルズの曲から「ヘルター・スケルター」と名付けた。
　地下鉄サリン事件を起こしたオウム真理教も、これから起こる不信心者との間のハルマゲドンに勝利するという名目で自らがハルマゲドンを起こそうとした。
　今回のハルマゲドンを起こそうとしている首謀者は、（おそらく白人至上主義者と思われる）プーチン大統領だ。超大国がカルト宗教化したのだろうか。
　SNSに投稿されて知ったが、ラトヴィアのポール・ストラディンス医療史博物館はちょうどロシア大使館の目の前にある。二〇二二年三月、プーチンとドクロを合成した巨大な写真を掲げ、ロシア批判を展開していた。核戦争を起こそ

上）ラトヴィアの、ロシア大使館に面するポール・ストラディンス医療史博物館は、プーチンとドクロを合成した写真でプーチン大統領批判をしていた、2022。

うとしているプーチン大統領への見事なカリカチュアとなっていた。

「世界最終戦争論を唱えて満州事変を首謀した陸軍の石原莞爾は第2次世界大戦後、いち早く広島と長崎の被爆地を訪れました。核兵器が出現した以上、人類滅亡を避けるには戦争放棄しかないと9条を支持します。」（山室信一「戦禍の果てに求められた9条」『朝日新聞』）

もう遅いが、プーチン大統領も広島、長崎を訪れるべきだった。

コラテラル・ダメージ

かつて毛沢東は、朝鮮戦争で、マッカーサー元帥が核爆弾を使うかもしれない、という情報が飛び交ったとき、一〇〇〇万人や二〇〇〇万人死んだからといってどうということない、代わりはたくさんいる、とうそぶいた。

プーチン大統領も、人の死にたいしては毛沢東並にきわめて淡白。大量虐殺も目的のためなら厭わないようだ。もし、自軍の兵士が核爆発に巻き込まれてもコラテラル・ダメージ（付随的損害、「戦争とことば」参照）として片付けるだろう。いやむしろ、広島・長崎への核使用をアメリカに先を越された、一度都市を丸ごと破壊してみたかったと思っているかもしれない。

そもそもプーチン大統領が核の脅しを使えるのもスターリンのおかげだ、という説がある。第二次世界大戦終戦直後、ソ連の核開発はアメリカより何歩どころか一周も二周も遅れていた。それが、四年後には原爆を開発し、アメリカと並んだ。アメリカは一気に恐怖した。もちろん、スパイの暗躍もあったが、最大の貢献はラーゲリの被収容者による奴隷労働だという（ジョレス＆ロイ・メドヴェージェフ『知られざるスターリン』）。

ソ連のラーゲリは、ロシア革命直後、レーニンによってシベリアにつくられた。そこには「反革命分子」「階級の敵」が収容され、奴隷労働に従事させられた。

スターリンが権力を握ると、一九三七年からの、全国的規模の大テロルにより大量の被収容者をつくった。第二次世界大戦でも大量のドイツ軍、日本軍捕虜、政治犯などの被収容者を生んだ。かれらのなかには、学者、科学者、技術者もいる。いくら過労死しようとも埋め合わせはできる。

「原子炉、工場、実験場、全てのインフラ等の諸問題を実際に解決した早さについては、紛れもなく収容所が主役を演じている。収容所は、機動性に富み、本質的には奴隷労働であるが、熟練労働の、ユニークで巨大な供給源であった。」（メドヴェージェフ、前掲書）

もちろん、その後の核開発ばかりではなく、ソ連全体のインフラ構築もかれら被収容者の貢献抜きには語れないだろう。どこまでいっても非人間的な闇が晴れることはない。

諸刃の剣と行方不明

ロシア側は、もうひとつ脅迫を持ちだした。平和の象徴である国際宇宙ステーション（ISS）を落下させるというのだ。どこに落ちるかわからないし、都市部に落ちれば大惨事が起きる。どうせならプーチン大統領の頭に落ちろ、と願わずにはいられなかった人も多かっただろう。

国際宇宙ステーションは、冷戦終結後、国際協力と平和のシンボルとして、日米欧、ロシア、カナダなどの一五カ国で運用されてきた。資金不足で先行き不透明ななか、ロシアを引き入れたことで、成功したプロジェクトだったといえる。ただし、今回の「プーチンの戦争」においては、権力者の暴挙とは裏腹に、地上の戦争はステーション内の宇宙飛行士には影響なかったようだ。

しかし、欧米と提携してきた多くの科学プロジェクトが、「プーチンの戦争」による世界各国からの経済制裁で資金が凍結された。ロシアの科学者は、研究を放棄するか、他国に研究所を移すかのジレンマに立たされた。とくに、シベリアで行われている気候変動の研究は資金難でストップ。損害はロシアのみならず地球人全員にとっての損害だといわれている。「プーチンの戦争」への制裁が諸刃の剣となっている。

また、ロシアでは、兵士不足でろくな訓練もせずに若者をウクライナに送っている。若者たちは死ぬためにウクライナにいかされているようなものだ。

そして、今回の「特別軍事作戦」で戦死したらその家族に一時金（約七〇〇万円）とあわせて計一四〇〇万円ぐらい支払われるらしい。といってもそのための国防省の資金は戦費に使いすぎて残っていない。そこでどうするか。行方不明ということにする。死んだかどうかわからなければお金を払う必要がない。姑息な手段だが、これがプーチン大統領がトップに立つロシア軍の実態だ。人の命は、鴻毛よりも軽い。

異教徒との宗教戦争

ヨーロッパ中世のキリスト教は、異教徒、異端者との戦い、つまり敵をみつけだしての戦いの歴史だったといえる。一神教の闇部分、神はひとりでなければならない、である。

「異教徒、異端者」といっても、キリスト教徒側が一方的にいっているだけで、「異教徒、異端者」側は攻撃されてはじめて気づく。キリスト教は、敵の存在で成り立ってきた宗教ということもできる。神と悪魔の戦いである。

日本で、悪魔に相当するのは邪霊だが、邪霊も神のうちで、丁寧にお祓いすれば善霊の神の仲間入りをする。ところが、キリスト教での悪魔は絶対悪で、もちろんなにがあっても神にはならない。永遠に邪悪な存在だ。

キリスト教徒が最初に悪魔視したのはユダヤ教徒。「戦争としるし」で触れたように、二、三世紀ごろは、キリスト教徒が迫害され、ユダヤ教徒が優遇されていた。

四世紀に、ローマ皇帝にやっと認められたときキリスト教は、ほかの宗教、とくにユダヤ教との違いを鮮明にしようとした。

そこでまずはじめたのが、布教のための聖書の完備。ユダヤ教は、従来のパピルスの巻物を使っていた。そこでキリスト教側は、まだそれほど普及していなかった、羊皮紙を折って綴じた冊子を使った。どちらも手書き。印刷術発明まであと一一世紀余もある。もちろん軍配は冊子タイプに上がる。理由は、持ち運びに便利ということと、関心のある章節を手早くみつけられること。このことで、のちに冊子タイプは書籍の主流となる。

次の悪魔視は、異教徒としてのイスラム教徒。ヨーロッパでは、農業革命などによって、生活が楽になるとともに人口も増えたことで、生活圏の拡大が必要になってきた。そこに、ビザンツ帝国皇帝から聖地エルサレムを奪回

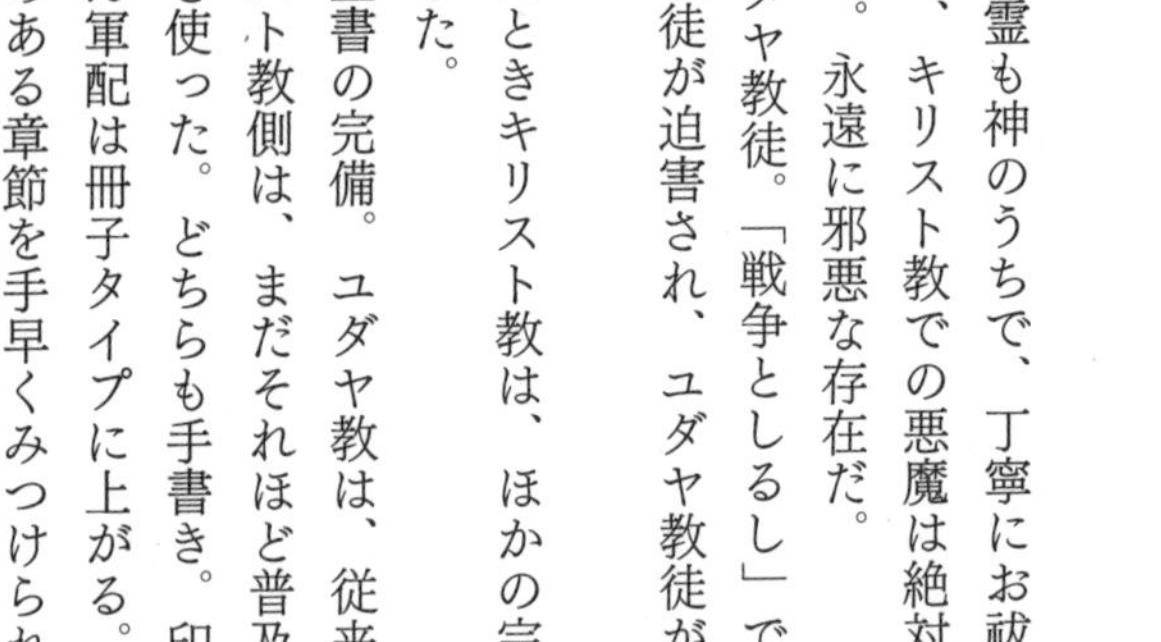

4世紀ごろ、キリスト教を公認したローマ皇帝コンスタンティヌス1世の依頼でつくられた冊子タイプのギリシャ語シナイ写本。

してほしいという要請がきた。渡りに船とばかりに、一一世紀、十字軍を結成。異教徒退治に向かった（「戦争としるし」参照）。生活圏の拡大、という意味ではヒトラーの侵略理由と重なる。

　十字軍のエルサレム奪回の論理は次のようなもの。

「敵の罪は、選ばれし民に与えられていた土地を占領していたことだけではなく、彼らが『偽の』神々を崇拝していたことであった。選択的民族虐殺――降伏を拒否する者すべてを抹殺すること――は、宗教的根拠から旧約聖書において正当とされている。」（キーン、前掲書）

「プーチンの戦争」でも、虐殺が行われているが、これと似たような論理で正当化しているのだろう。

レコンキスタと国恥地図

　こうして、何回か十字軍を派遣したが、最終的にはエルサレム奪回が果たされず、撤退を余儀なくされた。しかし、十字軍遠征によってイスラム圏との交易がはじまり、イタリアを中心に商業が発達する。

また、十字軍以前の八世紀から、イスラム教徒は、イベリア半島を支配していた。支配といっても、武力で押さえつけていたのではなく、人口は少なかったが、キリスト教徒、ユダヤ教徒と共存していた。

ところが、十字軍と同時期、十字軍と同じ理由でキリスト教徒が侵攻してきた。これをキリスト教徒側は国土回復運動（レコンキスタ）と呼んだ。

しかし、十字軍と同じく苦戦した。結局、すべてのイスラム教徒をイベリア半島から完全に追いだしたのは、八世紀後のコロンブスがアメリカ大陸を発見（一四九二）して大航海時代がはじまった年。何世紀も住み続けた人びとを異教徒だからといって追いだすことに正当性はあったのだろうか。パレスチナ人を追いだしたイスラエル建国が頭をよぎる。

このレコンキスタのように、もともと自分たちの土地だったからという論理は、時代が下ってもなんども侵略の口実として登場する。プーチン大統領の帝国ロシア復活然り、中国の共産党総書記、習近平もしばしば失われた土地として「国恥地図」に言及する。

「国恥地図」とは、中国が欧米の列強に取られた地域を指す。沖縄、朝鮮半島、台湾、インドネシア半島、マレーシア、マレー半島など広範囲にわたる。かれが本気でこの地域の奪取を考えているとしたら、プーチン大統領の志向と完全に重なる。

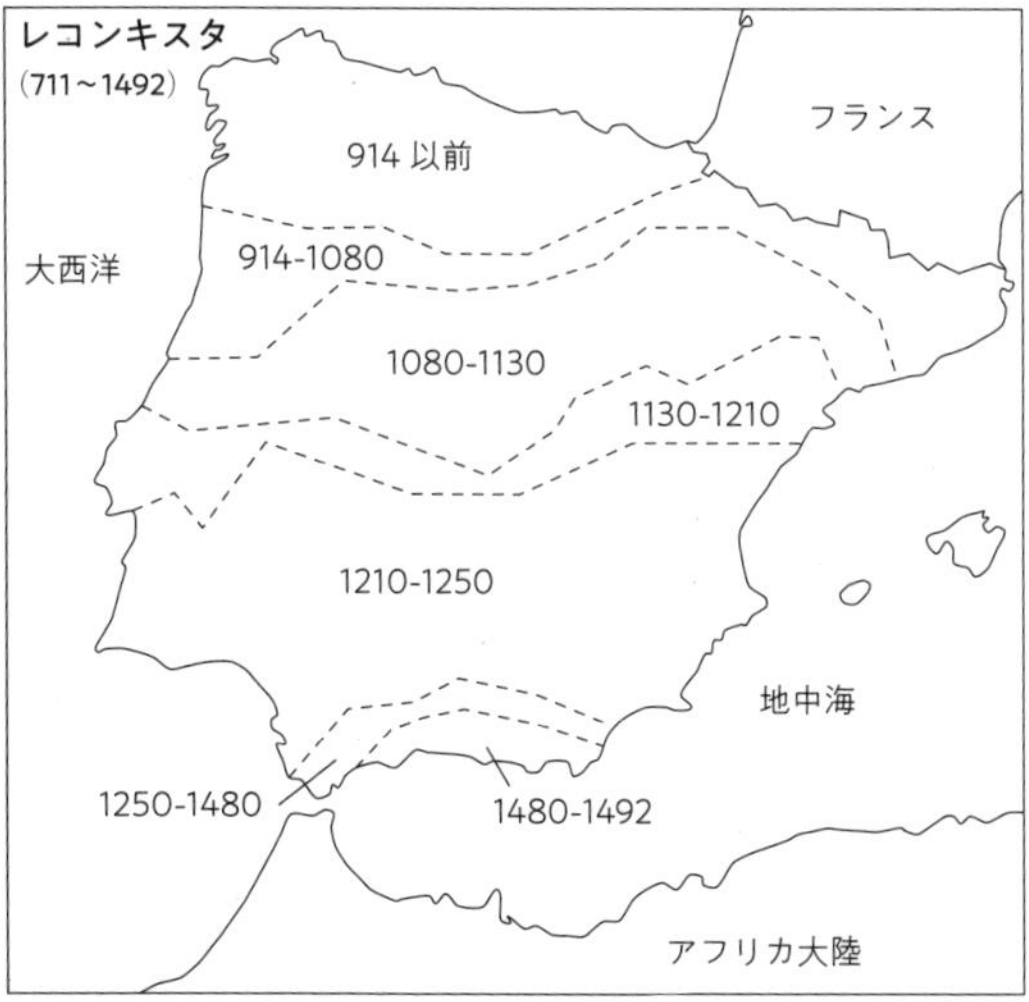

上）レコンキスタ（711～1492）のイスラム勢力をアフリカ大陸に追いやったプロセス。
下）中国の「国恥地図」に描かれた中国の「かつての国境」。

宗教派閥間戦争

キリスト教徒にとって次なる悪魔は、同じキリスト教徒。キリスト教徒のなかの異端者探しは、十字軍遠征前後からはじまった。異端審問である。レコンキスタに邁進していたスペインでは、長引くイスラム教徒との戦いで、異端への憎しみが倍加する。矛先をキリスト教徒内にも向け、容赦ない異端審問をはじめた。内部監査である。

異端者探しの別ヴァージョン、魔女狩りは、魔女の生態に関する絵が一五世紀後半ごろからよく描かれるようになり、魔女の存在が具体的でリアルなイメージをともなうようになった。これによって、一層魔女狩りが激しくなった(下)。

魔女イメージの視覚化の端緒のひとつ、〈魔女のサバト〉(ハンス・バルドゥング・グリーン、1510)。

また、共産党の例をだすまでもなく、なにごとも一党独裁は腐敗する。一極支配を謳歌していたカトリック派も同じ轍を踏んだ。教会建設資金がほしいばかりに、誰でも金をだせば罪が許される、という有料の免罪符（贖宥状《しょくゆうじょう》）を発行した。これをカトリック教会の腐敗ととらえる派閥が現れた。プロテスタント派である。カトリック派に反旗を翻したプロテスタント派は、カトリック派にとって憎むべき異端となった。

そして、この両派による派閥間戦争がはじまった。プロテスタント派誕生前の、その前身であるキリスト教改革フス派とカトリック側との間のフス戦争（一四一九～三六）、プロテスタント派が登場してからのカッペル戦争（一五二九、一五三一）、シュマルカルデン戦争（一五四六～四七）、ユグノー戦争（一五六二～九八）、八〇年戦争（一五六八～一六四八）、三〇年戦争（一六一八～四八）など。戦争ばかりの二〇〇年である。

敵対勢力への非難も含めて、自分たちの主張を宣伝する「プロパガンダ」ということばは、この宗教戦争のさなかの一七世紀はじめ、カトリック派からでた「布教」が初出。

カトリック派とプロテスタント派は、実際の戦争ばかりではなく、水面下でもプロパガンダ戦争を行なっていた。

仕掛けたのは、もちろんカトリック批判からはじまったプロテスタント派。当時は、聖職者用のラテン語の聖書しかなかった。そこで、プロテスタント派の創始者のひとり、マルティン・ルターは、ドイツ語訳聖書をグーテンベルクの印刷術を使ってはじめてつくった（次頁）。民衆がラテン語を学ばなくても普通に読める聖書の登場は、プロテスタント派の布教にはずみをつけた。続いて、テキスト中心のパンフレットも大量に印刷し、どんどん大きな勢力となっていった。

一方、カトリック派は、ラテン語の聖書しか認めず、各々の自国のことばで聖書を読むことを禁じていた。だから、民衆自ら読める聖書がなかったことがプロテスタント派の普及を許してしまった。

カトリック派の対応策としては、文字（ラテン語）が読めなくても絵でわかる木版画を使って、宣伝、いやプロパガンダした。

しかし、この宗教戦争には勝敗はない。分断を生んだだけで、後世に禍根を残すことになった。イギリス領アイルランドにおける北アイルランド紛争は、カトリック派とプロテスタント派による最後の宗教戦争となった。

ウクライナの宗教戦争

プーチン大統領がウクライナを「小ロシア」と蔑んでいたことはすでに述べたが、この侮蔑の背景にも宗教が絡んでいる。

まず、プーチン大統領が信仰するロシア正教について。

キリスト教は、教義の解釈や聖像崇拝の範囲（どこまで禁止でどこまで許されるか）の違い

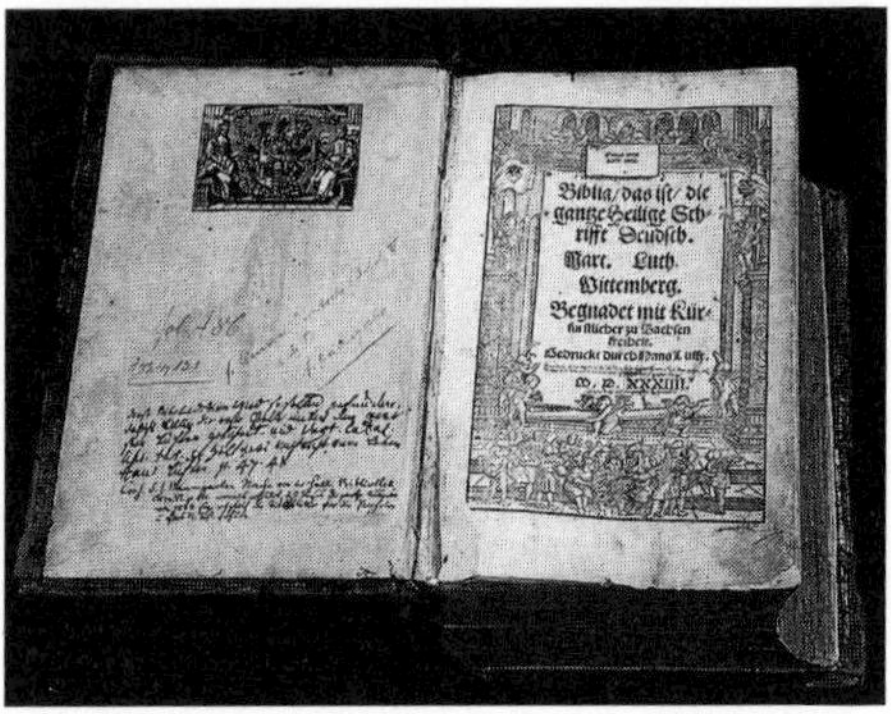

ルターのドイツ語訳聖書、1534。

などで、一〇五四年にローマ・カトリック教会とギリシャ正教会（東方正教会）に分裂した。キリスト教は、はっきり線引きせずにはおれない宗教である。

ギリシャ正教会はその後、東ヨーロッパに広がっていった。正教会同士は、対等で教義も共通。そのひとつがロシア正教会。そのトップが、モスクワ正教会のキリル総主教。

また、ウクライナにも、ウクライナ正教会、モスクワ正教会に依存するキーウ正教会、正教だが、ローマ・カトリック教会に所属するギリシャ・カトリック教会の三つの正教会があった。ギリシャ・カトリック教会以外ロシア正教会に所属している。

ところが、ジャーナリスト、今井佐緒里さんの報告（「ウクライナとロシアの宗教戦争」ほか）によると、二〇一九年、信者数がモスクワについで圧倒的に多いウクライナ正教会が、ロシア正教会から独立することになった。認めたのはキリル総主教と対立するコンスタンティノープル総主教。ウクライナの正教会信者をモスクワ総主教の下に置く決定がなされたのが一六八六年のことなので、三三三年続いた禁を破る、いわばクーデターである。

モスクワ総主教はこれにたいして、コンスタンティノープル総主教やウクライナ正教会を「悪の帝国」と捉え、ウクライナ正教会信者や「プーチンの戦争」に反対する人びとを「悪の勢力」と非難し、かれらと戦うプーチン大統領の侵略に賛成した。

しかもウクライナは、地政学的にローマ・カトリック教会とロシア正教会のちょうど境界線にあたるため、ウクライナ西部にはローマ・カトリック教会に所属するギリシャ・カトリック教徒も多い。ロシア正教徒同士、ロシア正教徒対ローマ・カトリック、というダブルの宗教戦争の様相を呈している。かつて旧ソ連によって完全に否定されたはずの宗教が、今のロシアでは完全復活どころか、以前より強力にロシアを支配している印象だ。

「悪の帝国（evil empire）」といえば、冷戦真っ只中の一九八三年、当時のアメリカ大統領ロナルド・レーガンが、アメリカ福音派協会の年次総会で、全体主義国家ソ連にたいして投げつけたことばでもある。

アメリカの福音派は、アメリカ大統領選挙では、政権を支える最大の票田であり、多くの大統領候補者はむしろ擦り寄る戦略を取っている。ジョージ・ブッシュ、ドナルド・トランプしかり。そこでの発言は、通常のメディアにたいするよりも本音がでているとされる。

もうひとつ「悪の枢軸」というのもある（「戦争としるし」参照）。これは二〇〇一年のアメリカ同時多発テロの報復としてアフガニスタンに侵攻し、それなりの成果（？）を得たのち、新たな敵を抽出するために、当時の大統領ブッシュの二〇〇二年年頭の定例の一般教書演説で発されている。「枢軸」とは第二次世界大戦のときのドイツ・

イタリア・日本を中心とした枢軸国に倣い、北朝鮮、イラン、イラクを名ざしたもの。

プーチンの戦争

キリスト教的世界観では、必ず絶対善（絶対正義）と絶対悪が語られる。神と悪魔の戦いだから。これは立場が変われば逆になる。アメリカ同時多発テロのとき中東の一部では、異教徒に損害を与えたとして快哉を叫んでいるという報道もあった。

ともかく、先に「正義」ということばを使って決めつけたほうが、効果的に正義の戦争というアピールをできる。

「正義は我にあり、果たすべき使命」とよくいわれるが、「正義」「使命」ということばには宗教的気配がただよう。

プーチン大統領のウクライナ侵攻の目的は、ウクライナを非ナチ化するということに加えて、二〇一六年に、ローマ教皇とキリル総主教が、ウクライナの宗教的対立をやめさせるために会談したことを踏まえ、その対立をプーチン大統領のロシア軍が終わらせる、という「宗教的正当性」も加味しているようだ。宗教対立を終わらせるためには人殺しも必要だ、ということ。前述したように、十字軍派遣の口実と重なる。またしてもロシア正教徒プーチン大統領の、悪にたいしてはなにをしてもよい、善と悪の戦いというキリスト教の二面性をみる思いである。宗教を利用したイメージ支配ともいえる。

ともかく、キリル総主教とプーチン大統領は、ウクライナ人を懲らしめるという点では一致している。「プーチンの戦争」にお墨付きを与えた宗教者の頑迷固陋《がんめいころう》さは、世界を呆れさせた。ローマ教皇は、キリル総主教に「悪の勢力」というようなことば使いでなく、神のことばを使うように、とやんわりとクギを刺したという（＊）。

アジア向けにつくられた仁丹

映画『戦争と人間』（山本薩夫監督、三部作一九七〇〜三）は、満州事変（一九三一）への道のひとつ、張作霖爆殺事件（一九二八）の前後からノモンハン事件（一九三九）までを描いている。三作で九時間以上、日本人俳優が、中国人や朝鮮人を現地語と日本語で演じているのも魅力のひとつ。

日本陸軍の民度の低さ、ノモンハン事件で、傷を負ったが、生き残って帰ってきた司令官に、入院していた病院で責任をとらせて自決させるなどといった、日本軍部の勝手な振る舞いは、世界中の軍隊の共通項でもある。監督の過酷な従軍体験と、撮影当時、自身が日本共産党員だったこともあって、軍隊にたいするクールな表現が、全体のトーンをつくっている。日本軍の闇を描く必見の映画である。

ところで、この映画のなかで重要なシーンがあった。映画の舞台となった満州や上

＊ただし、「プーチンの戦争」が100日に届きそうな2022年5月末、ウクライナ侵攻が失敗だったと結論づけたのか、正教徒同士の分断に加担したことを反省したのか、侵攻に賛成したことをなかったことにするつもりなのか、キリル総主教が「分断はいけない、賢明な行動を求む」発言をして、プーチン大統領と距離を置きはじめた。

海のいたるところに仁丹のポスターが貼られていたのだった。

「仁丹」の「仁」は、「仁義礼智信」の「仁」。「丹」は、錬金術の中国版錬丹術の「丹」、身体に気の集まる「丹田」の「丹」。最初から中国（アジア）進出を念頭につけられた、秘薬のイメージを感じさせるネーミングである。

「仁丹」は、日露戦争後の一九〇七年、「将軍」（戦前の呼び名、メーカー側によると今は「大礼服の外交官」）マークで中国に進出していった。満州事変の少し前あたりからアジア向けが盛んになる（次頁）。

「企業が戦争という異常な時局を商品宣伝に使いだしたのが期せずして日露戦争だった」（荒俣、前掲書）。かつて戦争が、「深く産業と結合した国民的〝事業〟だった」（荒俣、前掲書）ことを思い起こさせる。

一粒で気分を爽快にさせる魔法の薬、つまり「興奮剤」（荒俣、前掲書）として仁丹は、アジアで人気となった。「仁丹」人気にあやかろうと「将軍」マークを入れた薬も登場する（次頁下）。

ソフトな仁丹にたいして、強圧的な日本軍の振る舞い、まさにアメとムチ作戦として、仁丹は意図せずにアジア侵略の片棒を担いでしまうこととなった。

正露丸も、もとの名前は「征露丸」（はじめは「忠勇征露丸」の名で発売された）。日露戦争に出征する兵士用である。マークは、「ラッパのマーク」として現在も知られているが、

❸

❷

❶

❻

❺

❹

❶明治38（1905）年、発売当時の商標。台湾・上海・香港への輸出品。英語もあり。
❷明治38（1905）年、海外向けの仁丹商標。ハングル文字もあり。
❸大正5（1916）年、インド向けの仁丹商標。アラビア文字もあり。
❹大正5（1916）年、ジャワ向けのオランダ語の仁丹商標。
❺大正5（1916）年、南米向けスペイン語の仁丹商標。
❻現在の仁丹マーク。

アジアの仁丹人気にあやかった将軍マークつき薬2種。

これは進軍ラッパ。まさに「ロシアを征伐する丸薬」だ。第二次世界大戦のときの米軍支給タバコ「ラッキーストライク」を思いだす。

第二次世界大戦後、大幸薬品が「征露丸」の製造販売権を得て、「征伐」の「征」を「正」に改め「中島正露丸」として発売、一九五四年に「正露丸」になった。その後、商標権が無効になり、他社からも「正露丸」の名で販売されている。「ラッパのマーク」を使っているのは大幸薬品のみ（下）。ただし、「征」が「正」となったことで、そこまで深読みする必要はないが、正しいロシアの丸薬、と読む楽しむが加わった。

現在の大幸薬品製「正露丸」。

料理人ヒトラー

今回の「プーチンの戦争」の前哨戦ともいうべき、二〇一四年の、ロシアによる一方的なウクライナのクリミア半島併合のとき、プーチン大統領がクリミア半島を料理する風刺画がキーウに現れた（次頁上）。

八年後の今、再び描くとしたら、「ハルマゲドンの脅しをするプーチン」というキャプションでプーチン大統領が地球を食べる図になるだろう。「悪の帝国アメリカ

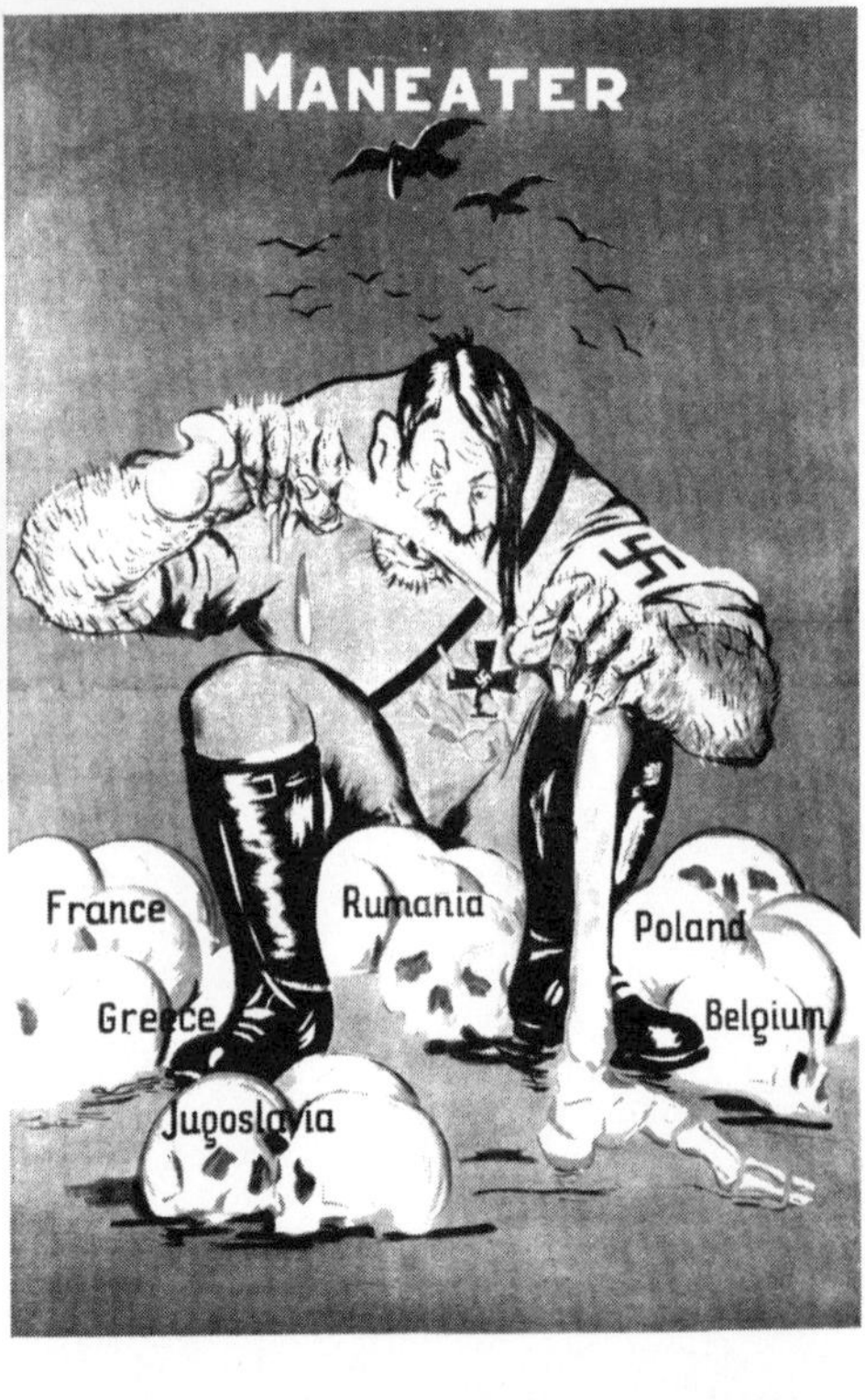

上）クリミア半島を一方的に併合したプーチンのカリカチュア「クリミア半島を食べるプーチン」2014。
下右）第二次世界大戦、アメリカのカリカチュア「マンイーターのヒトラー」。
下左）ソ連のカリカチュア「悪の帝国アメリカは世界をたいらげる」冷戦時代。

は世界をたいらげる」というソ連のカリカチュアも冷戦時代にあったが、地球を食べるのはアメリカではなく、自分（プーチン）だったというオチになる。

侵略者の横暴を食事にたとえるカリカチュアは、表現の常套手段のひとつ。ヒトラーにも「マンイーター（人喰い人間）」というカリカチュアがある（右頁下右）。

第二次世界大戦開戦と太平洋戦争開戦の間、日独伊三国同盟締結の半年前の一九四〇年三月に発行された雑誌『日獨旬刊』表紙に、「イギリスを料理するヒトラー」というイラストが載った（次頁）。

雑誌『日獨旬刊』は、ソ連びいきからドイツびいきになった岡上守道さん（筆名黒田礼二）が、一九三六年に立ち上げた日独交流雑誌。コミュニストからファシストへ、という転向は当時よくある話だったが、岡上さんの場合は、ベルリンに住み、ヒトラーにもインタビューするほどのドイツ、ナチ通であり、数カ国語を操る当時の日本人には珍しいコスモポリタンだった。

日獨旬刊社は、真珠湾攻撃（一九四一年一二月八日）の三日後に、ドイツの国会で行われたヒトラーの宣戦布告演説を即訳し『一千年の歴史を作らん――日伊と共に米英撃たん！　ヒ総統の宣戦布告の大演説』（239頁、「ヒ総統」はヒトラーのこと）としてその年の年末に刊行するほどナチスべったりだった。だから、この表紙イラストはカリカチュアではなく、岡上さんの真の願望である。

『日獨旬刊』表紙、1940.3。フライパンでイギリスを料理するヒトラー。

上）『一千年の歴史を作らん——日伊と共に米英撃たん！ヒ総統の宣戦布告の大演説』日獨旬刊社出版局、1941。

この号にも黒田名義で「バルカンの新形勢」と題して、「ヨーロッパの新秩序建設のためにやむなく戦争という方法に訴えた」という記事や、ナチス党綱領宣言二一周年記念日のヒトラーの演説の全訳を載せるなどヒトラーへの傾倒ぶりはすさまじく、完全なプロパガンダ・マガジンと化していた。この文を読むと、「プーチンの戦争」でのプーチン大統領の開戦の趣旨などとリンクするところもあり、やはり表向きの発言はみな同じである。

一九三二年に内外社から刊行されたヒトラー『わが闘争』の抄訳版には、日本人にたいする言及部分がカットされていた。出版社が、いくらなんでもこの記述はまずいと思ったのだろう。カット部分には、日本文化は、ヨーロッパ（アーリア民族）文化にちょっと日本的味付けをしただけ、アーリア文化が入ってこなくなったら、日本文化に消滅の危機が訪れるとまでヒトラーは述べている。

ベルリン・オリンピックでも、自国を大帝国と思い込んでいた日本は、大選手団を送ったのにもかかわらず、大歓迎どころか、三流国扱いされたという（半藤一利「世界史のなかの昭和史3」『こころ』）。

これを知ったら日本にもいるかもしれないネオナチは引いてしまうだろう。ドイツ語ができる岡上さんは当然原書を読んでいるはずで、なぜヒトラーに傾倒したのか、謎である。

子どもを「デザイン」する

「プーチンの戦争」で、「非ウクライナ化」「ロシア化」の施策のひとつとして、ロシア側は、ウクライナ東部のロシア支配地域において、教育に着手した。ウクライナ語禁止とロシアの教科書の使用である。子どもは純真な分洗脳（デザインする）も容易い。

ロシア版ヒトラー・ユーゲントといえば、ロシア国防省傘下の「ユナルミヤ」だ。八〜一八歳が加入年齢で、二〇一六年発足。徹底的な愛国心教育として知られる。かれらは戦争がはじまったら捨て駒として使われる、悲しい存在である。

その本家本元、ナチスのヒトラー・ユーゲントは、徹底したナチス教育による洗脳だけでは足りないとして、「戦争とするし」で触れているが、ナチスが理想とする金髪碧眼のナチス的人間をつくろ

ユナルミヤの旗（右）と隊員たち。

うとした。みた目最重視である。金髪碧眼の親衛隊員に子作りを奨励したが、それだけではなく、占領地から金髪碧眼の子どもを誘拐して育てようとした。しかし、子どものとき金髪だったとしても成長につれて茶色に変質してしまう子どももいる。髪色が変わってしまった子どもには「処分」という名の死が待っていた。

しかし、徹底的にナチス化されたヒトラー・ユーゲントも戦局の悪化で銃をとらざるをえなくなり、その多くは悲惨な末路を迎えた。無駄に橋を守らされる映画『橋』（ベルンハルト・ヴィッキ監督、一九五九）や、捕虜になり地雷除去をやらされる『ヒトラーの忘れ物』（マーチン・サントフリート監督、二〇一五）が涙を誘う。

子どもの洗脳といえば、カンボジア人を一五〇〜二〇〇万人も拷問・虐殺した、ポル・ポト率いるクメール・ルージュ（赤いクメール人）は、大人は、反乱を起こすかもし

ヒトラー・ユーゲントの旗（左）と隊員たち。

れないからと一切信用せず、扱いやすい子どもを洗脳して兵士にし、拷問・虐殺に加担させた。

ポル・ポトは極端なマオイズム（毛沢東主義）による原始共産制社会をめざし、私有財産の廃止（クメール・ルージュによる強奪）、宗教の廃止、教育の廃止、血のつながりも否定した。僧侶は率先して重労働をやらされた。

子ども兵士の役割の大きなもののひとつが密告である。大人（あるいは親）は相手が子どもだと安心して本音を漏らすから。

ポル・ポト派幹部は、海外留学していたものも多く、英語・フランス語を話すことができ、多くの知識もあったが、同じように外国語を話せる、あるいは知識のある、たとえば教師・学者・医者・薬剤師などは統治に邪魔だとして処刑した。

医療関係者が絶滅させられたため、その穴は子どもが埋めた。といっても医学の知識があるわけではなく、子どもの医者にかかることは死を意味していた。

かれらクメール・ルージュは、黒い人民服にカンボジアの伝統的なクロマーを着用している（下）。クロマーはスカーフであり、手ぬぐい

映画『最初に父が殺された』より。クメール・ルージュのクロマー。

であり、ターバンにもなった。クメール・ルージュの場合は、赤いギンガムチェックだ。ちなみに、南ベトナム解放戦線（ベトコン）も青いギンガムチェックのクロマーを着用していた。

　この赤いギンガムチェックのクロマーは、徐々に恐怖のしるしとなっていった。このあたりの悲惨な状況は、映画『キリング・フィールド』（ローランド・ジョフィ監督、一九八四）や、『最初に父が殺された』（アンジェリーナ・ジョリー監督、二〇一七）で描かれている。

女性兵士

「『女たちの』戦争にはそれなりの色、臭いがあり、光があり、気持ちが入っていた。そこには英雄もなく信じがたいような手柄もない。人間を越えてしまうようなスケールの事に関わっている人々がいるだけ。そこでは人間たちが苦しんでいるのではなく、土も、小鳥たちも、木々も苦しんでいる。地上に生きているもののすべてが、言葉もなく苦しんでいる、だからなお恐ろしい……」（アレクシエーヴィチ、前掲書）

　映画『スターシップ・トゥルーパーズ』（ポール・バーホーベン監督、一九九七）に登場する地球連邦軍の兵士は、男女同権というよりも男と女という差がまったくなく、戦場でもどこでもひとりの兵士扱いだった。だからシャワールームも一緒で、入浴の時間分

右から、平家物語の巴御前出陣図、江戸時代。『幕末維新勤王志士物語叢書　白虎隊』の挿画〈婦女隊の奮戦〉(池上浩画、1927)。新政府軍と戦った新島八重。

スペイン内戦での、共和国軍の女性兵士、1936。

けもなく、あっけらかんとしていて衝撃を受けた。男女同権が進むとこうなるのか、と。少なくともテクノロジー主導の現代・未来の戦争では、男女の体格差はあまり問題とならないのかもしれない。

ともかく、女性兵士はいつごろから登場したのだろう。日本では、平家物語の巴御前（右頁上右）、戊辰戦争のときの幕府側で中野竹子率いる会津藩婦女隊（右頁上中）、同じく会津藩ながら婦女隊とは別行動で新政府軍と戦った新島八重（右頁上左、NHKドラマ『八重の桜』のモデル）など。

二〇世紀の戦争や抵抗運動では、正式の軍隊ではないゲリラやレジスタンス、パルチザンなどで女性戦闘員が、男女の区別なく、ひとりの兵士として男性兵士と同等に戦っていた（右頁下）。

たとえば、一九三六〜三九年のスペイン内戦では、海外五五カ国から多くの男女が義勇兵として国際旅団を結成し、クーデターを起こしたフランコ軍とそれに加勢していたドイツ・イタリア軍と戦った。

戦場カメラマン、ロバート・キャパ（本名アンドレ・フリードマン）のパートナー、ゲルダ・タロー（本名ゲルタ・ポホリレ）もカメラという武器を携えて、スペイン内戦に参加した、いわば女兵士のひとり。

フリードマンとタローは、アメリカ人男性という触れ込みで「ロバート・キャパ」

ロバート・キャパの作品として知られているが、実際はゲルダ・タローが撮影した〈崩れ落ちる兵士、スペイン〉1936。

映画『フルメタル・ジャケット』より。ベトコンの女性狙撃兵。

を名乗り、戦場写真をふたりの共同名義とした。男性名のほうが社会的に受け入れられやすい時代だということと、アメリカで人気を得たかったから。

そして、共同名義解消後もフリードマンが「キャパ」の名を使い続けたため、キャパの写真として有名な崩れ落ちる兵士の写真もフリードマンのものとされたが、今はタローの作品とされている（右頁上）。

彼女たち女性兵士は、第二次世界大戦でのフランスのレジスタンス、ソ連のパルチザン、フランスからの独立を目ざしたアルジェリア独立戦争でのアルジェリア民族解放戦線、ベトナム戦争での南ベトナム解放民族戦線（ベトコン）、前述したカンボジアのクメール・ルージュなどで男性兵士に混ざり、活躍した。元日本赤軍の重信房子さんもそれに加えてよいかもしれない。映画『フルメタル・ジャケット』では、ベトコンの女性スナイパーが鮮烈な印象を残していたことが思いだされる（右頁下）。

しかし、チェチェン紛争やイスラム過激派でも女性が参加しているが、兵士というよりもほとんど自爆要員というところが悲しい。

「見ろ、これは女じゃない、出来損ないだ」

最大の女性兵士投入といえば、やはり第二次世界大戦の、ソ連とドイツが戦った独ソ戦である。ソ連では一〇〇万人以上の女性が従軍した。一八歳以上は男女の別なく軍務につけた。年齢を偽って従軍した少女もいた。彼女たちは、狙撃兵から機関銃兵、歩兵、衛生兵、通信兵、飛行士、高射砲兵、戦車兵、暗号解読係、軍医、看護婦、給仕係、運転手、従軍記者など多彩な任務についた。

ドイツ軍は、彼女たちを捕虜にしなかった。整列しているドイツ軍兵士の前を「見ろ、これは女じゃない、出来損ないだ」（アレクシエーヴィチ、前掲書）といって歩かせ、銃殺した。だから彼女たちは戦闘のとき、二発の弾丸を自分用に必ず残した。一発目が不発だったときのために（アレクシエーヴィチ、前掲書）。

最高の軍功勲章である赤星勲章（139頁）をもらった女性もいた。あまりにも過酷な体験で、一夜にして白髪になった少女もいた。

しかし、その多くは生き残ったとしても心に深い傷を負った。プーチン大統領が重視している対独戦勝記念日は、彼女たちにとって決して記念日ではなかった。過酷だったときを思いだしてしまうから。

戦争が終わっても、彼女たちの戦いは終わらなかった。戦後、男の集団のなかにいたということでの差別を恐れ、従軍手帳や勲章などを廃棄・隠して、従軍の事実をないものとして生きようとした。そして、黙して語らなかった。当然受け取る権利のある国からの支援も望まなかった。

彼女たちは、ソ連軍の男どもが、いく先々でドイツの女性になにをしたかも知っていた。国家、男にたいする不信が、生涯消えなかった女性もいた（アレクシエーヴィチ、前掲書）。

もはや、世界の惨禍に関するいかなることばを弄してみても「戦争」を表現できる的確なことばはみつからない。

ひとりの独裁者か少数の権力者の猜疑心・被害妄想、そして強い優越感によって戦争が繰り返される。その結果、「プーチンの戦争」でも虐殺・性暴力が報道されているように、家に帰れば普通の青年や父親が蛮行に加わる。旧ソ連兵（赤軍兵）、旧ドイツ兵、旧日本兵、ベトナム戦争の米兵・韓国兵・南ベトナム軍兵士、元ポル・ポト兵、コソボ紛争の元セルビア兵、ミャンマー国軍兵士、ウイグル族を弾圧する人民解放軍兵士、みなそうだ。彼らも黙して語らない。墓場まで自らの行為を持っていく。戦争の闇によって、被害者も加害者も生涯消えない傷、罪を背負わなければならなくなる。

歴史に異常にこだわるくせに、歴史からなにも学ばないから戦争が起きる。同じパターンの繰り返しだ。根拠のない優越感が消えるには相当時間がかかる。しかし、蟻の一穴かもしれないが、蛮行・惨禍の記憶を風化させないこと、なんども繰り返し語ることでしか手立てはないだろう。

おわりに

ロシアの文豪レフ・トルストイは一九〇四年、日露戦争勃発から数カ月後の『ロンドン・タイムズ』紙に、新約聖書のルカ福音書の一節を使った「人びとよ、悔い改めよ」とした、戦争批判を投稿した。日露戦争は、戦争の世紀のはじまりを告げる最初の戦争であり、メディアも一体となって戦争に突き進むなかでのバッシング覚悟の非戦論である。この文章を掲載した『ロンドン・タイムズ』紙ですら、トルストイはわかっていない、と批判している。

この文のなかでトルストイは、殺生を禁じているはずの仏教徒や、兄弟愛を唱えるキリスト教徒たちはなぜ殺しあうのか。自分がいやなことは人にもするな、とごく当たり前のことが守られていない、そこに流れる大きな愛こそ宗教だと述べ、ロシアのキリスト者が戦争を認めていたことにたいして、かれらは似非キリスト教徒だと強く批判し、「自問せよ」と投げかける（レフ・トルストイ『現代文 トルストイの日露戦争論』）。プーチン大統領にとって耳の痛いことばかりが並んでいる痛烈な非戦論である。

プーチン大統領の侵略の口実のひとつに、ＮＡＴＯ（北大西洋条約機構）の東方拡大があった。冷戦が終わって、ワルシャワ条約機構がなくなったのにＮＡＴＯは残っている。しかも旧ソ連の国々を取り込んでロシアを圧迫している。背後にはアメリカ・イギリスの策謀がある。許せない、である。このことをもってプーチン大統領が切迫感を持ったのも理解できる、という論者も多い。ぼくはこれに違和感を抱いた。ＮＡＴＯが拡大政策をとってロシアを牽制しているのはたしかだが、これはそもそも話の順序が違う。

　トルストイの「自問せよ」と同じだが、「省察」ということばもある。自らを省みて察する、状況・善悪を把握すること。ロシア政権がおのれのことを省察すれば事態は明白だ。つまり、旧ソ連から離れようとしている国々は、現在のロシア政権に嫌気がさしている。旧ソ連解体で自由を味わったからには、もはや旧ソ連の権威主義を受け継いでいるロシアとは別れたい。

　ウクライナもそうだ。やっと手に入れた「自由」を大事にしたい。そこにＮＡＴＯがあった。ロシアから逃れるためにはＮＡＴＯに入るしかない。ＮＡＴＯは、駆け込み寺みたいなもの。プーチン大統領が罵っているウクライナの民族主義集団を生んだのも、ロシアが身勝手だから。プーチン大統領はまず省察すべきだ、と思った。

　省察してからプーチン大統領がすべきことははっきりしている。軍事侵攻ではなく、これまでの権威主義的体質を改め、それほどアメリカの自由主義が嫌いなら、アメリカとはまったく違う新しい自由主義、新しい経済体制などを提示し、隣国から魅力的にみえる体制に向けて切磋琢磨するべきだった。それを示さず、思考をストップして暴力に走るなんて「怠慢」以外のなにものでもない……といくらいってもプーチン大統領が心を入れ替えることなんてありはしない。入れ替えるくらいならはなから侵略するわけがない。お花畑論でしかないのが悲しい。

作家で、日本文学研究者でもあるボリス・アクーニンさんがＴＢＳの報道特集で述べていた。本当のロシアはプーチンのロシアではない。ドストエフスキー、トルストイ、チェーホフを輩出した偉大な国だ。今のロシアは重い病気に罹っている。

人類は、戦争が割に合わないことはわかっていたはずだが、勝手な優越感の誘惑に勝てない権力者はやはり心の病気に罹っている。

今回の「プーチンの戦争」で感心したことがひとつあった。ドローンの使用だ。ドローンはもともと偵察・攻撃用兵器として開発された面が強い。「プーチンの戦争」でもウクライナ側は、偵察はもちろん、自爆型ドローンを活用して戦果を上げた。狙われたら逃げきれない無慈悲きわまりない兵器だ。

上空からみた映像などドローンのすごさは映画などで十分知っている。それが軍事利用でも優秀さを証明したとなると、いささか複雑な気持ちになる。平和利用から軍事利用までを網羅しているから。もちろん、そんな例はいくらでもある。インターネットなどその最たるものだ。

ところが「プーチンの戦争」でもうひとつの利用方法が登場して感銘を受けた。救助ドローンである。ロシア軍によって破壊されたビルのなかに、窓のガラスを割って侵入し、生存者を発見する。しかも生存者と会話して救助につなげることもできた、という。福島原発内のチェックも可能だろう。

これから思いだしたのは、映画『宇宙戦争』（バイロン・ハスキン監督、一九五三）のなかで、火星人のウォーマシンの長い首の先についた「眼」のような監視カメラが家屋のなかに侵入するシーン。それがいまやコンパクトなドローンとなった。おそらく、ウォーマシンの眼よりも性能がよいに違いない。

やはり道具は、使い方次第で悪にも善にもなる。「デザイン」と同じだ。

去年（二〇二一）夏、タリバンがアフガニスタンを制圧した。多くの人びと、子どもたちの嘆きが聞こえてきた。一度味わった自由の味は忘れられない。本書で紹介している映画『パピチャ　未来へのランウェイ』をみて、とくにその感を強くした。

そして、映画のなかにでてきた「女性の正しい服装」というポスターに興味を抱き、「負のデザイン」というテーマを思いつき、少し文章を書いてみた。それが「戦争とことば」の章の中心をなしている。しかし、いまひとつ焦点がぼけていたため放置していた。そこに「プーチンの戦争」が勃発した。

ロシアの軍事侵攻から半月ほど経ったころ、左右社の小柳学さんから、ロシア軍のシンボルとなっている「Ｚ」について知りたいから、なにか「戦争とデザイン」というテーマで展開できないか、という提案があった。ちょうど、憤りを持って侵略の推移をみていたぼくは、前述の小文「負のデザイン」をベースに「色・しるし・ことば」の章立てで構成することに決めた。

それから約一カ月、今まで書いた、ヒトラー関連の『ＲＥＤ』、黒人・黄色人・ユダヤ人差別の『ＨＡＴＥ！』（以上左右社）、ヒトラー・スターリン・毛沢東などの独裁者についての『独裁者のデザイン』（平凡社、ちくま文庫）を、「色・しるし・ことば」の視点で再検討し、「プーチンの戦争」にも言及して急ピッチで書きあげた。いわば、独裁者、独裁体制によって使われた「負のデザイン」の総集編のようなものになったと思う。

いつものように、事務所のスタッフ、杉本聖士くん、金丸未波さん、左右社の中村たかねさん、神山樹乃さん、校閲の蓑田沙希さんの協力で刊行できました。感謝です。

二〇二二年、まだ戦争が終わらない初夏　松田行正

242　映画『最初に父が殺された』より。
244　上右）「巴御前」Wikipedia
　　上中）「婦女隊」Wikipedia
　　上左）https://www.doshisha.ac.jp/yae/gallery/yae.html
　　下）『Battle Art: Images of war』Denis Thomas（編）, Phaidon, 1977
246　上）「Robert Capa」Wikipedia
　　下）映画『フルメタル・ジャケット』より

映画リスト　※カッコ内は原題

『硫黄島からの手紙（Letters from Iwo Jima）』クリント・イーストウッド監督、2006…010
『意志の勝利（Triumph des Willens）』レニ・リーフェンシュタール監督、1935…120
『インターステラー（Interstellar）』クリストファー・ノーラン監督、2014…030
『ウクライナ・オン・ファイア（Ukraine on Fire）』イゴール・ロパトノク監督、2016…108
『宇宙戦争（The War of the Worlds）』バイロン・ハスキン監督、1953…253
『永遠のユダヤ人（Der ewige Jude）』フリッツ・ヒップラー監督、1940…160、161
『キリング・フィールド（The Killing Fields）』ローランド・ジョフィ監督、1984…243
『グローリー（Glory）』エドワード・ズウィック監督、1989…031
『この世界の片隅に』片渕須直監督、2016…204
『コリーニ事件（Der Fall Collini）』マルコ・クロイツパイントナー監督、2019…171
『最初に父が殺された（First They Killed My Father: A Daughter of Cambodia Remembers）』アンジェリーナ・ジョリー監督、2017…242、243
『スター・ウォーズ（Star Wars）』ジョージ・ルーカス監督、1977…119
『スターシップ・トゥルーパーズ（Starship Troopers）』ポール・バーホーベン監督、1997…243
『スターリングラード（Enemy at the Gates）』ジャン＝ジャック・アノー監督、2001…196、198
『007は殺しの番号（Dr. No）』テレンス・ヤング監督、1962…093
『戦争と人間』山本薩夫監督、1970 ～ 73、…232
『タイガーランド（Tigerland）』ジョエル・シュマッカー監督、2000…214
『橋（Die Brücke）』ベルンハルト・ヴィッキ監督、1959…241
『パピチャ　未来へのランウェイ（Papicha）』ムーニア・メドゥール監督、2019…210、211、253
『バリー・リンドン（Barry Lyndon）』スタンリー・キューブリック監督、1975…031、032, 033
『ハンナ・アーレント（Hannah Arendt）』マルガレーテ・フォン・トロッタ監督、2012…169
『悲情城市』侯孝賢監督、1989…144
『ヒトラーの忘れ物（Under sandet）』マーチン・サントフリート監督、2015…241
『フルメタル・ジャケット（Full Metal Jacket）』スタンリー・キューブリック監督、1987…214、246、247
『プレデター（Predator）』ジョン・マクティアナン監督、1987…084
『炎628（Иди и смотри）』エレム・クリモフ監督、1985…153

188　「アンシュルス」Wikipedia

189　上右・下右・下左）『Geklebte NS-Propaganda: Verführung und Manipulation Durch das Plakat』Birgit Witamwas, Walter De Gruyter GmbH, 2016
上左）『写真・ポスターに見るナチス宣伝術――ワイマール共和国からヒトラー第三帝国へ』鳥飼行博、青弓社、2011

190　上右・上左）『Geklebte NS-Propaganda: Verführung und Manipulation Durch das Plakat』Birgit Witamwas, Walter De Gruyter GmbH, 2016
下）『世界に衝撃を与えたグラフィックデザイン――100のアイデアでたどるデザイン史』スティーブン・ヘラー／ヴェロニク・ヴィエンヌ、B. スプラウト（訳）、ボーンデジタル、2015

193　https://tanken.com/kakusei.html

194　https://www.city.sapporo.jp/ncms/shimin/heiwa/tenji/guntai_09/index.html

198　「ソ連国防人民委員令第227号」Wikipedia

199　「ヤーコフ・ジュガシヴィリ」Wikipedoia

200　『The Soviet Political Poster 1917 - 1980』Nina Baburina（編）, Penguin Books, 1985

203　『Red Star Over Russia: A visual history of the Soviet union from 1917 to the death of Stalin』David King, Tate Publishing, 2009

204　右）『Russian Revolutionary Posters: From Civil War to Socialist Realism, from Bolshevism to the End of Stalinism』David King, Tate Publishing, 2015
左）『ポーランドポスター展［図録］』松浦昇／田中あづさ／紫牟田伸子（編）、ポーランドポスター展実行委員会、2012

206　https://www.afpbb.com/articles/-/3362331?pid=23692411

207　https://www.asahi.com/articles/photo/AS20210906002103.html

211　映画『パピチャ　未来へのランウェイ』より

213　右）「ISIL」Wikipedia
左）「ターリバーン」Wikipedia

戦争とデザイン

215　『Red Star Over Russia: A visual history of the Soviet union from 1917 to the death of Stalin』David King, Tate Publishing, 2009

217　https://baltics.news/2022/03/08/photo-museum-of-medical-history-hangs-a-poster-with-a-redesigned-putins-face-in-front-of-the-russian-embassy-in-support-of-ukraine/

222　https://www.codexsinaiticus.org/en/img/Codex_Sinaiticus_open_full.jpg

226　黒川正剛『図説　魔女狩り』河出書房新社、2011

228　「ルター聖書」Wikipedia

234　仁丹マーク5点）『広告図像の伝説――フクスケもカルピスも名作！』荒俣宏、平凡社、1989
下2点）『正露丸のラッパ――クスリの国の図像学』田中聡、河出書房新社、1994

236　上）『ルポ　プーチンの戦争――「皇帝」はなぜウクライナを狙ったのか』真野森作、筑摩書房、2018
下右）『Battle Art: Images of war』Denis Thomas（編）, Phaidon, 1977
下左）『敵の顔――憎悪と戦争の心理学』サム・キーン、佐藤卓己／佐藤八寿子（訳）、柏書房、1994

240　「Young Army Cadets National Movement」Wikipedia

241　上）「Young Youth」Wikipedia
下）「Category:Hitlerjugend」Wikimedia commons

143 『Geklebte NS-Propaganda: Verführung und Manipulation Durch das Plakat』 Birgit Witamwas, Walter De Gruyter GmbH, 2016

146・147 『容赦なき戦争——太平洋戦争における人種差別』ジョン・W・ダワー、猿谷要（監修）、斎藤元一（訳）、平凡社ライブラリー、2001

151 「Sonderkommando KZ Auschwitz-Birkenau」Wikipedia

157 『プロパガンダ・ポスターにみる日本の戦争—— 135 枚が映し出す真実』田島奈都子（編）、勉誠出版、2016

160 『敵の顔——憎悪と戦争の心理学』サム・キーン、佐藤卓己／佐藤八寿子（訳）、柏書房、1994

161 『94 Carteles Sobre el Expansionismo Nazi en Alemania』 Javier Gómez Pérez, Createspace Independent Pub, 2014

164 https://www.dhm.de/lemo/bestand/objekt/propagandaschrift-wenn-du-dieses-zeichen-siehst-1941.html

169 映画『ハンナ・アーレント』より

173 『20 世紀デザイン——グラフィックスタイルとタイポグラフィの 100 年史』トニー・セダン、長澤忠徳（監訳）、和田美樹（訳）、東京美術、2016

174 「Lord Kitchener Wants You」Wikipedia

175 「ジョン・ブル」Wikipedia

176 2 点とも）『Battle Art: Images of War』 Denis Thomas, Phaidon, 1977

177 『世界に衝撃を与えたグラフィックデザイン—— 100 のアイデアでたどるデザイン史』スティーブン・ヘラー／ヴェロニク・ヴィエンヌ、B. スプラウト（訳）、ボーンデジタル、2015

178 上）「Lord Kitchener Wants You」Wikipedia
中）『The Soviet Political Poster 1917 - 1980』 Nina Baburina（編）, Penguin Books, 1985
下）https://topwar.ru/16950-vvs-rossii-pervye-sto-let-pozadi.html

179 『The Soviet Political Poster 1917 / 1980』 Nina Baburina（編）, Penguin Books, 1985

180 右）NHK BS スペシャル「独裁者ヒトラー　演説の魔力」NHK エンタープライズ、2019
左）『写真でたどるアドルフ・ヒトラー——独裁者の幼少期から家族、友人、そしてナチスまで』マイケル・ケリガン、白須清美（訳）、原書房、2017

181 上）『The Jewish Enemy: Nazi propaganda during World War II and the Holocaust』 Jeffrey Herf, Belknap Press, 2006
下）『敵の顔——憎悪と戦争の心理学』サム・キーン、佐藤卓己／佐藤八寿子（訳）、柏書房、1994

182 右）『Geklebte NS-Propaganda: Verführung und Manipulation Durch das Plakat』 Birgit Witamwas, Walter De Gruyter GmbH, 2016
左）『絶対の宣伝 4　文化の利用』草森紳一、番町書房、1979

183 『20 世紀デザイン——グラフィックスタイルとタイポグラフィの 100 年史』トニー・セダン、長澤忠徳（監訳）、和田美樹（訳）、東京美術、2016

185 『Geklebte NS-Propaganda: Verführung und Manipulation Durch das Plakat』 Birgit Witamwas, Walter De Gruyter GmbH, 2016

186 上）『地図で読む世界の歴史——ヒトラーと第三帝国』リチャード・オウヴァリー、永井清彦（監訳）、秀岡尚子／牧人舎（訳）、河出書房新社、2000
下）『Geklebte NS-Propaganda: Verführung und Manipulation Durch das Plakat』 Birgit Witamwas, Walter De Gruyter GmbH, 2016

187 『Geklebte NS-Propaganda: Verführung und Manipulation Durch das Plakat』 Birgit Witamwas, Walter De Gruyter GmbH, 2016

118 上）『未完の帝国——ナチス・ドイツの建築と都市』八束はじめ／小山明、福武書店、1991
下右）「Germanic SS」Wikipedia
下左）「Germanische Leistungsrune」Wikipedia
119 右）「ナチス・ドイツ」Wikipedia
左）「歓喜力行団」Wikipedia
120 上）https://www.britannica.com/event/Berlin-1936-Olympic-Games
下）『ジーク ハイル！』ステファン・ローラント、中山善之（訳）、インターナショナル タイムズ、1975
121 上）『建築のアポカリプス——もう一つの 20 世紀精神史』飯島洋一、青土社、1992
下右）NHK BS スペシャル「独裁者ヒトラー　演説の魔力」NHK エンタープライズ、2019
下左）『ナチスの発明』武田知弘、彩図社、2006
122 上）『建築家ムッソリーニ——独裁者が夢見たファシズムの都市』パオロ・ニコローゾ、桑木野幸司（訳）、白水社、2010
下）『魅惑する帝国——政治の美学化とナチズム』田野大輔、名古屋大学出版会、2007
124 『ジーク ハイル！』ステファン・ローラント、中山善之（訳）、インターナショナル タイムズ、1975
126 https://hadano.kanagawa-shorinjikempo.org/%E5%B0%91%E6%9E%97%E5%AF%BA%E6%8B%B3%E6%B3%95%E3%81%A8%E3%81%AF/%E3%82%B7%E3%83%B3%E3%83%9C%E3%83%AB%E3%83%9E%E3%83%BC%E3%82%AF
127 左上）「親衛隊（ナチス）」Wikipedia
左中上）「Hitlerjugend-Leistungsabzeichen」Wikipedia
左中下）「親衛隊人種及び移住本部」Wikipedia
左下）https://encyclopedia.ushmm.org/content/en/artifact/lebensborn-program-brochure
下）『文字の世界史』ルイ＝ジャン・カルヴェ、矢島文夫（監訳）、会津洋／前島和也（訳）、河出書房新社、1998
128 右）https://eturbonews.com/252771/swedish-government-wants-to-ban-nazi-norse-runes-and-swedes-hate-the-stupid-idea/
左）「ダビデの星」Wikipedia
130 左段、上から）「ナチス・ドイツ」Wikipedia（ひとつ置いて）「ソビエト連邦軍」Wikipedia／「Three Arrows」Wikipedia
131 「Three Arrows」Wikipedia
132 『毎日ムック　シリーズ 20 世紀の記憶　HOLOCAUST　ホロコースト』西井一夫（編）、毎日新聞社、1999
133 「国旗の一覧」Wikipedia
134 『毎日ムック　シリーズ 20 世紀の記憶　HOLOCAUST　ホロコースト』西井一夫（編）、毎日新聞社、1999
136 「ファイル :Juif.JPG」Wikipédia
138 https://museeholocauste.ca/en/objects/gerhart-maass-passport/
139 「赤星勲章」Wikipedia
140 「クラスナヤ・ズヴェズダ（新聞）」Wikipedia
141 「ベトナムの国旗」Wikipedia

戦争とことば

075・076 『バウハウス 1919-1933』バウハウス資料館／マグダレーナ・ドロステ（編）、ベネディクト・タッシェン出版、1992
077 「Marcel Duchamp」Wikipedia
078 すべて）『アメリカン・アドバタイジング 50s』ジム・ハイマン , Taschen, 2001
080・081 NHK スペシャル「ウクライナとロシア――決別の深層」NHK、2022
083 http://aokihumu.blog69.fc2.com/blog-entry-48.html

戦争としるし

085 『Red Star Over Russia: A visual history of the Soviet union from 1917 to the death of Stalin』David King, Tate Publishing, 2009
087 『スヌーピーミュージアム展』草刈大介（編）、ブルーシープ、2019
090 https://theprint.in/last-laughs/journey-of-nazi-symbol-and-boris-johnsons-personal-service-for-russian-oligarchs/871422/
091 2 点とも）「Z 旗」Wikipedia
093 「十字軍」Wikipedia
094 国旗上）「聖ゲオルギウス十字」Wikipedia
中上）「聖アンデレ十字」Wikipedia
中下）「聖パトリック旗」Wikipedia
下）「イギリスの国旗」Wikipedia
097 『The Jews and Europe: 2,000 Years of History』Elena Romero Castelló / Uriel Macías Kapón, Chartwell Books, 1994
098 上）『地図の歴史』織田武雄、講談社、1973
下）https://www.splcenter.org/file/2699
100 2 点とも）https://historyofsocialwork.org/eng/details.php?cps=2
101 すべて）「赤十字社」Wikipedia
102 http://www.worldflags.jp/blog/5873/
104 『朝日新聞』「イラク・アフガン　米軍が『聖書ライフル』」2010 年 1 月 24 日付
105 上）「ファットマン」Wikiwand
下）https://www.newsweekjapan.jp/headlines/world/2022/04/381594.php
106 上）「パンプキン爆弾」Wikipedia
107 https://twitter.com/ng_ukraine/status/1497924614865002497?ref_src=twsrc%5Etfw%7Ctwcamp%5Etweetembed%7Ctwterm%5E1497924614865002497%7Ctwgr%5E%7Ctwcon%5Es1_&ref_url=https%3A%2F%2Fwww.aljazeera.com%2Fnews%2F2022%2F2%2F28%2Fukrainian-fighters-grease-bullets-against-chechens-with-pig-fat
109 「アゾフ連隊」Wikipedia
110 右）「アゾフ連隊」Wikipedia
左）「Wolfsangel」Wikipedia
111 上）「第 2SS 装甲師団」Wikipedia
下右）「第 4SS 警察装甲擲弾兵師団」Wikipedia
下中）「装甲擲弾兵師団「フェルトヘルンハレ」」Wikipedia
下左）「National Socialist Movement in the Netherlands」Wikipedia
112 上）「ヴェアヴォルフ」Wikipedia
下）『虚構のナチズム――「第三帝国」と表現文化』池田浩士、人文書院、2004
113 「第 34SS 義勇擲弾兵師団」Wikipedia
115 上）『Heinrich Himmlers Burg: Das wewelsburg Zentrum der SS』Stuart Russell / Jost W. Schneider, ZeitReisen, 2010
下）「Schwarze Sonne」Wikipedia

031　右）「Casque Adrian」Wikipedia
左）「M1 ヘルメット」Wikipedia
032　映画『バリー・リンドン』より
033　「American Civil War」Wikipedia
036　「Ribbon of Saint George」Wikipedia
037　ETV 特集「ウクライナ危機　市民たちの 30 年」NHKEテレ
040　『The Soviet Political Poster 1917 / 1980』Nina Baburina（編）, Penguin Books, 1985
041　右）「ソビエト連邦」Wikipedia
左）「中華人民共和国」Wikipedia
042　『ロシア・アヴァンギャルド――未完の芸術革命』水野忠夫、パルコ出版、1985
044　右）「赤軍」Wikipedia
中）「白軍」Wikipedia
下）「ウクライナ革命反乱軍」Wikipedia
045　上）『ロシア・アヴァンギャルドのデザイン――未来を夢見るアート』海野弘（解説・監修）、マクレリー・ルシー（訳）、パイ インターナショナル、2015
下左）『Geklebte NS-Propaganda: Verführung und Manipulation Durch das Plakat』Birgit Witamwas, Walter De Gruyter GmbH, 2016
下右）「緑軍」Wikipedia
049　右）「ドイツ帝国」Wikipedia
左）「ナチス・ドイツの国旗」Wikipedia
050・051　『ジーク ハイル !』ステファン・ローラント、中山善之（訳）、インターナショナル タイムズ、1975
053　上右）『Gakken Mook ヒトラーと第三帝国の真実――なぜ国民はこの男を選んでしまったのか !?』学研パブリッシング、2013
上左）『SS REGALIA』Robin Lumsden, Chartwell Books, Inc., 1996
下）『L'ILLUSTRATION』1935 年 10 月 12 日号 , l'Illustration
056　『ナチ強制・絶滅収容所―― 18 施設内の生と死』マルセル・リュビー、菅野賢治（訳）、筑摩書房、1998
057　「中華人民共和国」Wikipedia
060　『Chinese Propaganda Posters』Anchee Min / Duo Duo / Stefan R. Landsberger, Taschen, 2015
061　上）「紅衛兵」Wikipedia
下）『Modern Chinese Poster Collection: Catalogue 2016』Pearl Young / Yang Pei Ming（編）, Shanghai Propaganda Poster Art Centre, 2016
063　「文化大革命」Wikipedia
064　『Modern Chinese Poster Collection: Catalogue 2016』Pearl Young / Yang Pei Ming（編）, Shanghai Propaganda Poster Art Centre, 2016
065　『ストリートデザインファイル 09　プラネット・マオ――文化大革命のグラフィック・パワー』都築響一（編）、アスペクト、2000
069　https://archstglassinc.com/resources/a-brief-history-of-stained-glass/
070　2 点とも）https://karapaia.com/archives/52264686.html
071　2 点とも）「スペインかぜ」Wikipedia
072　『縞模様の歴史――悪魔の布』ミシェル・パストゥロー、松村剛／松村恵理（訳）、白水 u ブックス、2004
073　上）『Rayures: une histoire des rayures et des tissus rayés』Michel Pastoureau, Seuil, 1991
下）「Florence Nightingale」Wikipedia

YAHOO ニュース「[前編] ウクライナとロシアの宗教戦争：キエフと手を結んだ権威コンスタンティノープルの逆襲／［後編］宗教の境界で三分するウクライナと、「千年に一度のキリスト教界の分裂」：ロシアとの宗教対立　今井佐緒里、2022、［前編］https://news.yahoo.co.jp/byline/saorii/20220323-00287889、［後編］https://news.yahoo.co.jp/byline/saorii/20220326-00287898

図版引用リスト

戦争と色

009　『Geklebte NS-Propaganda: Verführung und Manipulation Durch das Plakat』Birgit Witamwas, Walter De Gruyter GmbH, 2016
010　http://free-photo.net/archive/entry3850.html
011　「硫黄島の星条旗」Wikipedia
012　「ロシアの国旗」Wikipedia
013　上段）「ドイツ帝国」Wikipedia ／「国籍マーク」Wikipedia ／「鉄十字」Wikipedia
中段上）「ナチス・ドイツ」Wikipedia ／「国籍マーク」Wikipedia
中段下）「ドイツの国旗」Wikipedia ／「国籍マーク」Wikipedia
下）「ドイツ民主共和国」Wikipedia ／「国家人民軍航空軍」Wikipedia
016　右列上２点）「国籍マーク」Wikipedia ／下）「フィンランドの国旗」Wikipedia
右下）「アメリカの国旗」Wikipedia
017　右列、国籍マーク３点）「国籍マーク」Wikipedia ／「ソビエト連邦」Wikipedia ／「ロシアの国旗」Wikipedia
左列上から）「朝鮮人民軍空軍」Wikipedia ／「朝鮮民主主義人民共和国」Wikipedia ／「国籍マーク」Wikipedia ／「大韓民国」Wikipedia ／「中華人民共和国」Wikipedia ／「国籍マーク」Wikipedia
020　国籍マークは、左列上２点以外すべて「国籍マーク」Wikipedia
国旗は右上から）「フランスの国旗」Wikipedia ／「ベルギーの国旗」Wikipedia ／「イタリアの国旗」Wikipedia ／「スペインの国旗」Wikipedia ／「アルゼンチンの国旗」Wikipedia ／「インドの国旗」Wikipedia ／「イギリスの国旗」Wikipedia
021　国籍マークはすべて「国籍マーク」Wikipedia
国旗は右上から）「ガーナの国旗」Wikipedia ／「ギニアの国旗」: Wikipedia ／「ケニアの国旗」Wikipedia ／「マダガスカルの国旗」Wikipedia ／「ルワンダの国旗」Wikipedia ／「ジンバブエの国旗」Wikipedia ／「ウクライナの国旗」Wikipedia
下２点）『現代美術 13　ジャスパー・ジョーンズ』講談社、1993
024　上）https://www.yuraimemo.com/1356/
下）『レイモンド・ローウィ――消費者文化のためのデザイン』グレン・ポーター、海野弘（訳）、レイモンド・ローウィ・ファウンデーション日本委員会（監修）、美術出版社、2004
028　右列上から）「スロベニアの国旗」Wikipedia、「スロバキアの国旗」Wikipedia、「13植民地」Wikipedia、「アメリカ合衆国の国旗」Wikipedia
左列上２番目から）「オランダの国旗」Wikipedia、「セルビア・モンテネグロの国旗」Wikipedia、「ルクセンブルクの国旗」Wikipedia
下左）「フランスの国旗」Wikipedia
下右）「ロシアの国旗」Wikipedia
030　右）「ピッケルハウベ」Wikipedia
中）「ヘルメット（ドイツ軍）」Wikipedia
左）「Brodie helmet」Wikipedia

『HATE!――真実の敵は憎悪である』松田行正、左右社、2018
『ルポ　プーチンの戦争――「皇帝」はなぜウクライナを狙ったのか』真野森作、筑摩選書、2018
『ナチズムに囚われた子どもたち――人種主義が踏みにじった欧州と家族　上・下』リン・H・ニコラス、若林美佐知（訳）、白水社、2018
『大政翼賛会のメディアミックス――「翼賛一家」と参加するファシズム』大塚英志、平凡社、2018
『独裁者のデザイン――ヒトラー、ムッソリーニ、スターリン、毛沢東の手法』松田行正、平凡社、2019
『20世紀ロシア文化全史――政治と芸術の十字路で』ソロモン・ヴォルコフ、今村朗（訳）、沼野充義（解説）、河出書房新社、2019
『独ソ戦――絶滅戦争の惨禍』大木毅、岩波新書、2019
『現代ドイツへの視座――歴史学的アプローチ2　ナチズム・ホロコーストと戦後ドイツ』石田勇治＋川喜田敦子（編）、勉誠出版、2020
『AB+（アルファベット・モア）――文字・記号・符号・暗号のデザイン』松田行正、LIXIL出版、2020
『戦争・記憶――沖縄戦と集団自決』亀山亮、青土社、2021
『「悪」の進化論――ダーウィニズムはいかに悪用されてきたか』佐藤優、集英社インターナショナル、2021
『ビートルズ』北中正和、新潮新書、2021
『都市を上映せよ――ソ連映画が築いたスターリニズムの建築空間』本田晃子、東京大学出版会、2022
『なぜ人類は戦争で文化破壊を繰り返すのか』ロバート・ベヴァン、駒木令（訳）、原書房、2022

（新聞）
『朝日新聞』「イラク・アフガン　米軍が『聖書ライフル』」、2010年1月24日付
『朝日新聞』「国家に領有される個人」李琴峰、2022年3月29日付
『朝日新聞』「戦禍の果てに求められた9条」山室信一、2022年4月29日付
『朝日新聞』「『中華の復興』波立つアジア　失われた土地『国恥地図』」、2022年5月4日付
『朝日新聞』「プーチン支持の裏　沈黙と恐怖の増大　抗議を伝える意義」奈倉有里、2022年6月4日付

（映像）
NHK BSスペシャル「独裁者ヒトラー　演説の魔力」NHKエンタープライズ、2019
NHKスペシャル「ウクライナとロシア――決別の深層」NHK、2022
NHKスペシャル「ブルカの向こう側――タリバン統治下の女性たち」NHK、2022
ETV特集「ウクライナ危機　市民たちの30年」NHKEテレ、2022
アナザー・ストーリーズ「おかえり、ゲルニカ 祖国“帰還”までの16131日」NHK

（インターネット）
「カラパイア　不思議と謎の大冒険」「第一次世界大戦で顔を負傷した兵士たちの為に、オーダーメイドのマスクを次々と作り上げた善意の女性彫刻家（アメリカ）」いぶりがっこ、2018、https://karapaia.com/archives/52264686.html
WEBRONZA「ウクライナには「ネオナチ」という象がいる～プーチンの「非ナチ化」プロパガンダのなかの実像　上・中・下」清義明、2022、https://webronza.asahi.com/national/articles/2022032200001.html

参考文献

（書籍）

『広告図像の伝説――フクスケもカルピスも名作！』荒俣宏、平凡社、1989

『毛沢東と周恩来』矢吹晋、講談社現代新書、1991

『敵の顔――憎悪と戦争の心理学』サム・キーン、佐藤卓己／佐藤八寿子（訳）、柏書房、1994

『形の文化誌4　シンボルの物語』原秀三郎／若杉準治／今橋理子／荒川紘／小野健一ほか、形の文化会『形の文化誌』編集委員会（編）、工作舎、1996

『ナチス親衛隊SS　軍装ハンドブック』ロビン・ラムスデン、知野龍太（監訳）、原書房、1997

『ナチ強制・絶滅収容所――18施設内の生と死』マルセル・リュビー、菅野賢治（訳）、筑摩書房、1998

『ユダヤ人はなぜ迫害されたか』デニス・プレガー／ジョーゼフ・テルシュキン、松宮克昌（訳）、ミルトス、1999

『ドイツ軍の小失敗の研究――第二次世界大戦戦闘・兵器学教本』三野正洋、光人社NF文庫、2000

『容赦なき戦争――太平洋戦争における人種差別』ジョン・W.ダワー、猿谷要（監修）、斎藤元一（訳）、平凡社ライブラリー、2001

『ペリーの白旗――150年目の真実』岸俊光、毎日新聞社、2002

『知られざるスターリン』ジョレス・メドヴェージェフ／ロイ・メドヴェージェフ、久保英雄（訳）、現代思潮新社、2003

『レイモンド・ローウィ――消費者文化のためのデザイン』グレン・ポーター、海野弘（訳）、レイモンド・ローウィ・ファウンデーション日本委員会（監修）、美術出版社、2004

『中国文化大革命の大宣伝　上・下』草森紳一、芸術新聞社、2009

『虐殺器官』伊藤計劃、早川書房、2010

『図地反転』松田行正、美術出版社、2010

『現代文 トルストイの日露戦争論』レフ・ニコラエヴィチ・トルストイ、平民社（訳）、国書刊行会編集部（現代語訳）、国書刊行会、2011

『卍とハーケンクロイツ――卍に隠された十字架と聖徳の光』中垣顕實、現代書館、2013

『新約聖書　訳と註　第5巻（ヨハネ福音書）』田川建三（訳）、作品社、2013

『戦争の世界史――技術と軍隊と社会　下』ウィリアム・H・マクニール、高橋均（訳）、中公文庫、2014

『大衆宣伝の神話――マルクスからヒトラーへのメディア史』佐藤卓己、ちくま学芸文庫、2014

『動くものはすべて殺せ――アメリカ兵はベトナムで何をしたか』ニック・タース、布施由紀子（訳）、みすず書房、2015

『軍装・服飾史カラー図鑑』辻元よしふみ、辻元玲子（イラスト）、イカロス出版、2016

『戦争は女の顔をしていない』スヴェトラーナ・アレクシエーヴィチ、三浦みどり（訳）、岩波現代文庫、2016

『デザインってなんだろ？』松田行正、紀伊國屋書店、2017

『RED――ヒトラーのデザイン』松田行正、左右社、2017

『写真でたどるアドルフ・ヒトラー――独裁者の幼少期から家族、友人、そしてナチスまで』マイケル・ケリガン、白須清美（訳）、原書房、2017

『コリーニ事件』フェルディナント・フォン・シーラッハ、酒寄進一（訳）、創元推理文庫、2017

『こころ』No.36「世界史のなかの昭和史3」半藤一利、平凡社、2017

松田行正（まつだ・ゆきまさ）
本のデザインを中心としたグラフィック・デザイナー。自称デザインの歴史探偵。「オブジェとしての本」を掲げるミニ出版社、牛若丸主宰。『眼の冒険』（紀伊國屋書店）で第37回講談社出版文化賞ブックデザイン賞受賞。近著として、『デザインってなんだろ？』（紀伊國屋書店）、『RED』『HATE！』『急がば廻れ』『デザイン偉人伝』『アート＆デザイン表現史』（左右社）、『デザインの作法』（平凡社）、『にほん的』（河出書房新社）、『眼の冒険』『線の冒険』（ちくま文庫）、『独裁者のデザイン』（河出文庫）などがある。
http://www.matzda.co.jp

ブックデザイン　松田行正
デザイン協力　杉本聖士＋金丸未波
校正・校閲　蓑田沙希

使用用紙

カバー	ヴァンヌーボV-FS・スノーホワイト　46Y150kg
本表紙	ヴァンヌーボV-FS・スノーホワイト　46Y195kg
見返し	ヴァンヌーボV-FS・スノーホワイト　46Y130kg
別帖トビラ	ヴァンヌーボV-FS・スノーホワイト　46Y130kg
本文	モンテシオン　46Y81.5kg

戦争とデザイン

2022年7月30日　第1刷発行

著者　松田行正
発行所　株式会社左右社
東京都渋谷区千駄ヶ谷3-55-12-B1
Tel. 03-5786-6030　Fax. 03-5786-6032
http://www.sayusha.com
印刷・製本　株式会社シナノパブリッシングプレス

ISBN978-4-86528-093-7

乱丁・落丁のお取り替えは直接小社までお送りください。